ALGÉRIE. LA GUERRE CONTRE LES CIVILS

D0264138

COLLECTION « INTERVENTIONS »
DIRIGÉE PAR JACQUES PELLETIER

L'État nourricier. Prolétariat et population. Mexique/Algérie, Paris, L'Harmattan, 1988. [En collaboration avec André Corten.]

La famille désinstituée. Introduction à la sociologie de la famille, Ottawa, Presses de l'Université d'Ottawa, 1995.

Algérie. Aux marges du religieux, Anthropologie et Sociétés, vol. 20, n° 2 (1996) [responsable du numéro avec Ratiba Hadj-Moussa.]

MARIE-BLANCHE TAHON

ALGÉRIE
LA GUERRE CONTRE LES CIVILS

Éditions Nota bene

LE CONSEIL DES ARTS | THE CANADA COUNCIL
DU CANADA | FOR THE ARTS
DEPUIS 1957 | SINCE 1957

Les Éditions Nota bene remercient le Conseil des Arts
du Canada, le ministère du Patrimoine du Canada
et la Société de développement des entreprises culturelles (SODEC) du
Québec pour leur soutien financier.

À ceux et celles qui se retrouvaient au A 44 de la Radieuse, à Oran, de 1975 à 1980.

À celle pour qui ce fut la première demeure.

INTRODUCTION

Ce livre a été écrit en réaction au message qui nous est livré par les délégations parlementaires – européenne en février et canadienne en mars 1998 – au retour de leur voyage à Alger. Ce message, semble-t-il, est destiné, pour le moins, à démobiliser une opinion publique qui, face à l'horreur des massacres de l'été de 1997 et du Ramadan 1998 – qui, au-delà de leur barbarie, ont mis en évidence la passivité des « forces de sécurité » qui a semblé coupable ou suspecte à plus d'un –, avait commencé à réagir[1] et se ralliait à l'idée de demander une commission d'enquête internationale sur les tueries qui s'y perpétraient. Personnellement, je ne suis pas opposée à l'envoi d'une telle commission d'enquête internationale. Encore qu'elle me paraisse largement irréaliste : au nom de quoi, la junte militaire au pouvoir à Alger l'accepterait-elle et lui permettrait-elle de faire son travail ? Il est difficilement imaginable qu'elle s'y résoudrait au nom de la promotion des droits de l'homme et d'une solution pacifique, puisqu'elle bafoue les premiers et s'emploie à contrecarrer la seconde, avec une constance sans défaut, depuis sept ans.

Mais, au-delà d'un essai de démobilisation de l'opinion internationale dont la mobilisation s'exprimait dans une demande d'une commission d'enquête internationale, n'assiste-t-on pas depuis le début de l'année 1998 à une offensive d'un autre ordre ? N'est-on pas en train d'assister à la récupération, par les gouvernements occidentaux, dont le gouvernement canadien, de l'émoi qui a étreint leur population face aux récents massacres pour renforcer le régime qui, en effectuant le coup d'État militaire de janvier 1992, est responsable de cette situation ? Si, à l'automne 1997, la demande d'une commission d'enquête internationale pouvait être soutenue afin d'obliger le régime algérien à sortir de sa superbe et à mettre un terme à sa rengaine selon laquelle le terrorisme était « résiduel », il n'en est plus de même en 1998. Entre-temps en effet, le régime algérien a pris l'initiative d'inviter des hôtes triés sur le volet. Et il a une autre fois gagné son pari : ils en reviennent en nous disant que la démocratie existe en Algérie puisqu'ils l'ont rencontrée. Ces experts internationaux en démocratie feignent d'oublier que les élections législatives et régionales, qui ont désigné en 1997 les députés et les sénateurs qu'ils rencontrent aujourd'hui, ont alors été dénoncées pour fraudes par tous les partis, à l'exception du Rassemblement national pour la démocratie (RND) – le parti de Zeroual, créé en février 1997 ; ce qui ne l'a pas empê-ché de remporter l'une et l'autre élections haut la main puisqu'il avait été créé à cette fin.

Au-delà de la manipulation de notre émoi devant les massacres et de nos questions par rapport aux res-ponsabilités des différents belligérants, les résultats du tourisme politique à Alger ne tentent-ils pas de nous faire croire que la situation qui y prévaut est bien plus simple que nous ne l'imaginons : il suffirait d'envoyer une délégation commerciale sur les pas de la délégation parlementaire pour « aider » l'Algérie à résoudre ses problèmes économiques et il suffirait de recevoir une délégation de députés et de sénateurs algériens dans le « meilleur pays au monde » afin de les initier aux arcanes des institutions parlementaires pour peaufiner la démocratie qu'ils incarnent.

Or, dans la situation algérienne, rien n'est « simple ». Ainsi que le rappelle Salima Ghezali[2], cette situation exige une volonté politique qui elle-même repose sur une prise de risque : une prise de risque « face à un régime qui a besoin de la guerre pour se maintenir » ; une prise de risque « face à un enchevêtrement de "clans d'affaires" qui, des deux côtés de la Méditerranée, engrangent les bénéfices d'une corruption sans vergogne[3] » ; une prise de risque « face à une sorte d'"engourdissement" qui empêche une solidarité humaine sincère dès qu'il s'agit d'islam ». Dans la mesure de mes moyens, je voudrais apporter ma contribution à l'entreprise de cette femme courageuse qui en appelle à « oser prendre une initiative politique en faveur de la paix et des libertés ».

Ma position n'est donc pas neutre : je m'efforce depuis plusieurs années de contribuer à soutenir les possibilités qu'une solution politique soit trouvée à la crise ouverte par le coup d'État militaire du 11 janvier 1992. Solution « politique » s'oppose à militaire. « Solution » politique s'oppose à éradication, le terme fréquemment utilisé par le pouvoir algérien et ceux qui le soutiennent, pour désigner le moyen d'en finir avec les « terroristes », les renvoyant ainsi à une espèce animale responsable de la transmission d'une maladie.

« Solution politique » ne signifie pas non plus adhésion
à toutes les thèses en présence, pas plus qu'adhésion à
une union sacrée de tous les hommes de bonne volonté.
On le verra, une des causes de la tragédie actuelle renvoie au consensus qui a été imposé au peuple algérien
de l'indépendance (1962) au lendemain des élections
municipales de mai 1990. L'unanimisme est cause du
chaos actuel, il ne peut en être la solution.

Mais il n'y a pas lieu de confondre unanimisme et
construction d'un espace politique dans lequel les
différends s'expriment sur le mode de l'argumentation
discursive. Cette construction requiert la présence de
tous les protagonistes, y compris celle du Front islamique du salut (FIS). Je ne cacherai pas que je suis
politiquement hostile à son programme. Si j'étais algérienne, je me battrais *politiquement* pour qu'il n'arrive
jamais au pouvoir parce que ses thèses ne corres-
pondent pas à mes aspirations de femme-de-gauche-
démocrate. Je le ferais *parce que* le FIS est (devrait être
reconnu comme) un partenaire *politique* dans l'actuelle
donne algérienne.

Je partage donc en grande partie le point de vue de
Benjamin Stora[4], qui aux lendemains de la signature de
la « plate-forme de Rome[5] » au début de l'année 1995,
voyait dans cet accord une possibilité de sortir de
l'engrenage de la violence, car il permettait un « retour
sur la scène politique des formations traditionnelles ».
Ces formations traditionnelles étaient incarnées par les
« trois fronts » qui, chacun à sa manière, représentent
« des tendances, lourdes, historiques de la Nation et de

la société : l'Islam[6], le nationalisme arabe[7], la berbérité[8] ». Et il ajoutait : « le problème n'est pas de chercher une imaginaire "troisième voie" entre islamistes et
armée (en fait, le "pôle démocratique" amélioré), mais
de peser, de chercher des solutions dans le champ politique réel ». Trois ans plus tard, il est probable que cette
conjonction soit partiellement effritée, sans pour autant
que ne soit allégé le poids des « tendances lourdes ».

En partageant largement le diagnostic de Stora,
j'ajouterai que la « plate-forme de Rome » a aussi été
signée, dans ce cénacle d'hommes, par une femme,
Louisa Hanoune, au nom du Parti des travailleurs. Ce
parti, d'obédience trotskyste, ne pèse pas lourd dans
l'échiquier politique algérien : quatre députés lui ont
été octroyés lors des législatives de 1997. Mais
Hanoune[9], tout en militant pour une solution politique
à la « crise », ne se départit jamais d'une farouche volonté d'instaurer un régime politique qui ferait une
place égalitaire aux femmes. C'est en effet une autre
« tendance lourde » de la nation et de la société algériennes : la marginalisation des femmes.

Or, la guerre contre les civils qui se déroule depuis
1992 a, au moins, pour effet apparent de démarginaliser
les femmes, de les placer au centre. Au centre des
massacres (mais non des attentats), mais encore, pour
le meilleur et pour le pire, au centre de questions politiques. L'attention à leur statut, dans les différentes
phases historiques, sera centrale dans ce livre. Il ne
s'agit pas là d'une prise de parti féministe. Je tenterai
de faire partager le point de vue selon lequel la

situation des femmes est un opérateur qui permet de saisir transversalement les « tendances lourdes » dont parle Stora. Celles-ci, bien que « lourdes », ne sont pas immuables. Sans faire des femmes les Antigones de la démocratie algérienne à venir – ce serait une autre façon de les instrumentaliser alors que c'est précisément leur instrumentalisation, dans toutes les phases historiques, qui leur a systématiquement enlevé toute voix au chapitre –, je fais le pari que, contrairement aux démocraties modernes où deux siècles ont été nécessaires pour que les femmes adviennent pleinement à la citoyenneté, quand la démocratie finira par s'imposer en Algérie, les femmes en seront immédiatement partenaires à part entière. Comment d'ailleurs imaginer la démocratie sans qu'il en soit ainsi ?

La thèse que ce livre tentera de démontrer pourrait être crûment formulée ainsi : si les Algériens et les Algériennes sont aujourd'hui massacrés, c'est parce qu'ils ne sont pas constitués en « sujets politiques ». Cette non-constitution n'est pas imputable aux « islamistes ». Elle plonge ses racines dans la colonisation française et l'Algérie indépendante l'a remise à l'ordre du jour. Elle ne se donne à lire que si l'on accorde aux femmes l'attention qui leur revient. C'est en examinant le statut qui est le leur aux différentes phases historiques que l'on saisit toute la difficulté que rencontre, en Algérie, l'institution d'un vivre en commun qui transcende la communauté pour s'établir au niveau de la société. Statut des femmes qui n'est pas seulement inférieur à celui des hommes, mais encore statut des femmes instrumentalisé de sorte que le jeu entre société et communauté ne trouve pas l'espace pour se déployer, de sorte que la société ne transcende pas les liens communautaires en un espace politique.

Ce livre s'adresse à celles et à ceux qui, sans être quotidiennement préoccupés par ce qui se passe actuellement en Algérie, estiment la situation intolérable. Or, comme il l'a déjà été rappelé, les premiers résultats de cette mobilisation sont en train de produire des effets inattendus par ceux et celles qui sont révulsés par l'ampleur des atteintes aux droits de l'homme perpétrées en Algérie, d'où que viennent ces violations. Après avoir brandi le principe de la non-ingérence dans les affaires intérieures d'un État souverain, le régime algérien a pris soin de sélectionner quelques invités qui, à leur retour, ont répandu[10] sa bonne parole et fustigé[11] ceux qui se refusent à embrasser le camp des « éradicateurs ». Il a ensuite reçu la « troïka » européenne puis une délégation de députés du Parlement européen et une délégation de parlementaires canadiens, invités sous conditions strictement définies par le régime algérien. On peut présentement redouter que ces visites aient trois conséquences : caution accordée à la « démocratie » algérienne ; vente d'armes à l'armée algérienne pour accroître la répression du « terrorisme » et démantèlement des « réseaux terroristes » en Europe. Les deux dernières conséquences résultent de l'amalgame savamment entretenu depuis six ans entre « terrorisme » et « expression politique ». Amalgame destiné à justifier la répression, quelle que soit sa

forme. Or, céder à ces deux exigences du régime algérien (vente d'armes à l'armée et démantèlement des
« réseaux ») risque bien d'accroître les assassinats de
civils sans défense et de faire reculer toute solution
politique en ouvrant la chasse, en Europe et ailleurs, à
des exilés qui ne sont pas liés au « terrorisme ».

Comme le disait Lorraine Pagé lors du débat
organisé par Radio-Québec en octobre 1997, à propos
de l'Algérie, nous ne pourrons pas dire que nous ne
savions pas, ainsi qu'il fut répété à propos de l'Holo-
causte. Ce livre[12] a pour seule ambition d'alimenter la
curiosité de son lecteur et de sa lectrice afin qu'il
cherche à en savoir toujours plus et ose lui-même, elle-
même, choisir le risque de prendre une initiative politique en faveur de la paix et des libertés en Algérie.

1

NATIONALITÉ SANS CITOYENNETÉ

La *guerre* contre les civils qui se déroule en Algérie depuis le coup d'État du 11 janvier 1992 n'est pas directement imputable à la marque que le colonialisme français a imprimée à son histoire. Dénoncer l'attitude des gouvernements français, de gauche et de droite, la concernant est incontestablement une position juste. Ce faisant, cette attitude n'est pas immédiatement responsable du chaos actuel. Reste que la responsabilité de la puissance coloniale est majeure dans la difficulté qu'a eu l'État algérien à s'instituer. Difficulté qui a perduré et qui s'amplifie depuis 1992. Elle tient à la *déliaison* des colonisés – des « indigènes », des « musulmans » – à la République. Et plus encore au point de nouage grâce auquel cette déliaison s'est réalisée.

LA PREMIÈRE GUERRE D'« ALGÉRIE »

Algérie est un vocable colonial, il n'existe que depuis 1831. Existait, avant sa prise par l'armée française le 5 juillet 1830, Alger, comptoir commercial et haut lieu de la course des pirates. L'appellation « Algérie » pour désigner l'ensemble du territoire traduit dès alors la visée impérialiste qui préside à l'entreprise coloniale. Ce territoire est très vite décrété constituer trois départements français (ceux d'Alger, au centre, d'Oran à l'ouest, et de Constantine à l'est). La puissance

coloniale n'enregistrera l'existence de la « première
nation » – celle qui vivait sur le territoire avant la
conquête arabe (711 de l'ère chrétienne), les Numides,
par la suite désignés comme des Berbères (appellation
déformée de « barbares ») – que dans le but d'asseoir le
principe « diviser pour régner ».

La première guerre d'Algérie se confond, à de rares
moments près, avec la colonisation : elle commence
avec la prise d'Alger en 1830 et prend une dernière fois
l'initiative lors des massacres de mai 1945 dans l'Est
algérien. La « pacification » qui suit le débarquement
de la troupe en 1830 est d'une rare barbarie : enfuma-
ges des populations raflées et enfermées dans des
grottes, razzias, etc. Elle ne se terminera qu'avec le
siècle. Elle n'émeut guère les contemporains. Ils s'appellent pourtant Victor Hugo ou Karl Marx. Alexis de
Tocqueville est l'un de ceux que l'opération ne laisse
pas indifférent. De retour d'Amérique, il va en Algérie.
Il en revient et diffuse un message que ne renieraient
pas les vieux « nouveaux philosophes » sur le retour :

> la guerre... J'ai souvent entendu en France des
> hommes que je respecte, mais que je n'ap-
> prouve pas, trouver mauvais qu'on brûlât les
> moissons, qu'on vidât les silos, et qu'enfin on
> s'emparât des hommes sans armes, des
> femmes, des enfants. Ce sont là, selon moi, des
> nécessités fâcheuses auxquelles tout peuple qui
> voudra faire la guerre aux Arabes sera obligé
> de se soumettre[1].

Tocqueville n'a pas oublié son voyage en Amérique. Il ne prône pas d'exterminer les Arabes, comme l'ont été les Amérindiens. Eux, il suffit de les « comprimer ». Afin d'établir la colonisation sur des bases solides, il promeut l'instauration en Algérie d'une administration civile : les colons doivent pouvoir y jouir des « garanties de sécurité et de liberté qui se rencontrent plus ou moins dans tous les pays d'Europe ». Garanties qui doivent être adaptées au statut d'une colonie « dans sa petite enfance » et encore en guerre. Seuls les colons entrent dans le cadre des préoccupations administratives de Tocqueville. Quant aux colonisés, à ce chapitre, il n'en est question que sur le registre des tribunaux :

> *on peut établir pour eux des conseils de guerre. Ceci est d'un intérêt secondaire, les Arabes qui vivent avec nous sont en petit nombre et peu redoutables. Mais ce qui n'est pas secondaire, c'est de donner à l'Européen qu'on invite à venir en Afrique toutes les garanties judiciaires, tant au civil qu'au criminel.*

Si les « Arabes qui vivent avec nous sont en petit nombre », c'est que les autres, en grand nombre, spoliés de leurs terres fertiles, sont refoulés dans l'arrière-pays aux terres stériles. Ils reviendront comme travailleurs saisonniers sur leurs terres devenues propriétés des colons. Colons qui débarquent avec régularité. L'objectif des Républiques, aussi bien la seconde que la troisième, consiste à mener une politique

d'assimilation afin de faire de l'Algérie un prolonge-
ment de la France de l'autre côté de la Méditerranée. À
la fin du XIXᵉ siècle, l'Algérie est dotée d'une assemblée élue, de l'autonomie budgétaire et de la personnalité civile. L'Algérie des colons. Ils viennent de
France, mais encore d'Espagne, d'Italie, de Malte. Et la
République leur impose la nationalité et la citoyenneté
françaises – le second Empire élargit même sa
mansuétude aux Juifs natifs d'Algérie en 1870 (décret
Crémieux). Il faut que soit décrété « français » non
seulement le sol, mais encore le peuplement. On les appellera « pieds-noirs ». Ils constitueront, rarement à
leur corps défendant, une machine de guerre contre les
erratiques réformes démocratiques du gouvernement
de Paris à l'endroit des colonisés.

Cette imposition de la nationalité ne concerne pas
les « indigènes », les dénommés « musulmans ». Ils
sont français puisque leur territoire est devenu français
par la conquête, mais ils ne sont pas citoyens. S'ils le
devenaient, ils en viendraient à dominer politiquement
leur pays ! Ce qui, par définition, est inconcevable pour
une puissance coloniale. Les « bienfaits de la civilisation » ne leur sont que très parcimonieusement
distribués. Ils sont certes tenus de comprendre le français, puisque c'est la seule langue à avoir droit de cité,
mais son apprentissage se fait le plus souvent sur le tas.
En 1950, 120 ans après la prise d'Alger, 400 000 enfants fréquentent l'école primaire : autant d'enfants de
colons que d'enfants de « musulmans » alors que les
enfants d'indigènes d'âge scolaire sont 12 fois plus

nombreux que les enfants « européens ». Une ségrégation entre les populations y est consacrée : la « ville arabe » est séparée de la ville européenne ainsi que les écoles et les cafés. L'écrasante majorité des colonisés ne connaît de l'« œuvre civilisatrice » de la France que l'incorporation dans son armée en temps de guerre et, en temps de paix, la servitude qui marque, au sein de la colonie qu'est leur pays, les emplois de salariés agricoles ou de domestiques, et l'exploitation la plus éhontée dans la métropole pour les émigrés, des hommes seuls, qui s'y rendent à partir de la Première Guerre mondiale.

LA MONSTRUOSITÉ

Mais il y a pire encore. On l'a dit, les « indigènes » étaient « français » puisqu'ils étaient nés sur un territoire désormais français, mais ils n'avaient pas la citoyenneté. Plus précisément, ils ne devenaient « citoyens » (français) que s'ils renonçaient au « statut personnel ». Alors que la loi française régissait tous les rapports sociaux en Algérie, la puissance coloniale a toléré que le « statut personnel », l'ensemble des règles qui présidait aux rapports familiaux et aux rapports sociaux de sexe[2], continue à être régi par la « loi musulmane ». Selon le professeur Morand, doyen de la Faculté de droit de l'Université d'Alger, l'attitude va au-delà de la tolérance. Il remarque :

> *Il n'est pas douteux qu'en faisant aux indigènes algériens l'application d'un droit strictement*

> *musulman, en enseignant aux magistrats indi-*
> *gènes que nous avons formés, les principes de*
> *ce droit et en remettant en honneur un docteur*
> *musulman dont le culte n'était plus entretenu*
> *que dans quelques mosquées et de rares*
> *zaouïas, nous avons, en quelque sorte, fait revi-*
> *vre la société musulmane du XVIᵉ siècle de notre*
> *ère, ressuscité les influences musulmanes qui,*
> *il y a quelques siècles, se sont exercées sur les*
> *indigènes algériens ;* nous les avons réisla-
> misés, *et il n'est pas douteux que, socialement*
> *et par la mentalité, ces indigènes sont, aujour-*
> *d'hui, plus loin de nous qu'ils ne l'étaient à*
> *l'époque de la conquête*[3].

La « monstruosité », pour reprendre le mot de Dominique Schnapper[4], qui consistait à accorder la nationalité sans la citoyenneté est d'autant plus monstrueuse
que la condition d'accès à la citoyenneté résidait dans
le renoncement à ce qui structure les questions généalogiques. En faisant des rapports familiaux et des rapports sociaux de sexe le point d'ancrage de l'exclusion
de la citoyenneté, la puissance coloniale détachait les
colonisés de l'État républicain en son point névral-
gique : là où se tisse la dimension institutionnelle du
sujet[5]. C'est le hasard de sa naissance en terre décrétée
département français qui faisait du colonisé un sujet
français, sans en faire un citoyen français. Son affilia-
tion était renvoyée aux règles et coutumes que la puissance coloniale méprisait. Elle ne leur reconnaissait
une existence que pour justifier le déni de citoyenneté.

Ce faisant, les colonisés, qui étaient spoliés de tout, notamment de leur territoire, de leurs terres et de leur langue, se reconnaissaient entre eux en tant qu'êtres humains dignes en ce qu'ils ne renonçaient pas au statut personnel. Le non-renoncement au statut personnel constituait pour eux le dernier et unique rempart de leur identité. Identité cristallisée dans la possibilité pratique de soumettre les femmes colonisées aux hommes colonisés ; possibilité que la loi française, pourtant sous la coupe du Code Napoléon, n'offrait pas à ses citoyens avec autant de largesse. En renonçant à adhérer à la citoyenneté française, et donc en restant fidèles au statut personnel, les hommes colonisés restaient de « vrais » hommes aux yeux de leur communauté d'appartenance et de résistance. Ce faisant, ils restaient, du même coup, de « vrais » patriarches aux yeux et aux dépens des femmes.

Ce « choix » – renoncer ou non au statut personnel – est monstrueux au regard de l'imaginaire démocratique. Il est aussi odieux en ce qu'il légitime, au nom de la sauvegarde de l'identité, de la résistance, de la dignité, la domination des colonisées par les colonisés. Une expression rendra compte de l'opération. Elle est popularisée pendant la guerre de libération et perdurera après l'indépendance : les femmes sont, dira-t-on, les « gardiennes des valeurs arabo-musulmanes ». Elles en sont le dépôt. Cette assignation, qui en appelle à un strict contrôle des faits et gestes, n'a pas été inventée par les « islamistes », elle se trouve justifiée par la pratique politique coloniale.

Pratique politique coloniale qui ne dédaigne donc pas, elle non plus, manipuler les références religieuses. Elle les fétichise. C'est par le « statut personnel » que la République impose aux colonisés l'auto-exclusion de la citoyenneté et elle en fait le rempart ultime de l'identité de sujets brimés. La puissance coloniale utilise donc ce qu'elle considère constituer la quintessence de l'islam pour exclure les colonisés de l'espace politique. Elle n'en restera d'ailleurs pas là.

L'HÉRITAGE COLONIAL

En Algérie, la France républicaine et laïque s'est bien gardée d'appliquer son sacro-saint principe de la séparation des Églises et de l'État en ce qui concerne le culte musulman. Suite à la conquête se développe très vite une politique d'appropriation des terres et des biens. Sont ainsi confisquées les fondations pieuses (*habous*) dont les revenus servaient notamment à entretenir le patrimoine immobilier cultuel et à rémunérer le personnel du culte. Dès lors, il revient à la France d'y pourvoir, plaçant ainsi le personnel du culte sous sa dépendance financière. L'administration française ne répugne d'ailleurs pas à peser sur le recrutement de ce personnel. Franck Frégosi[6] cite l'exemple suivant :

> *au lendemain du premier conflit mondial, l'administration avait prévu dans le cadre d'une politique en faveur des anciens combattants musulmans de leur octroyer certains emplois à caractère religieux sans s'être assurée de leurs compétences en matière religieuse.*

La revendication de l'application au culte musulman de la *Loi de séparation des cultes et de l'État* (loi de 1905) fut mise de l'avant par des notables musulmans : l'émir Khaled en 1924 et, par la suite, les oulémas de l'Association des oulémas réformistes[7] de Ben Badis en 1936. Enfin, les organisations politiques s'en emparèrent également. Aucune satisfaction tangible ne lui fut apportée. À l'indépendance, les oulémas réformistes pesèrent de tout leur poids pour faire admettre que la revendication de la séparation du culte et de l'État n'avait plus lieu d'être puisque les gouvernants étaient désormais issus de la population musulmane et la Constitution de 1963 consacra l'islam comme la religion de l'État. Il va sans dire que la mobilisation religieuse et politique pour l'indépendance du culte musulman pendant la colonisation n'est pas restée sans effet sur la structuration même du mouvement national. Cette occurrence a été facilitée par le fait que, pendant la colonisation, la France n'appliquait pas sa propre loi en la matière sur le territoire algérien. Aussi a-t-elle renforcé le sentiment que la religion était le dernier bastion identitaire des colonisés. Sentiment arrimé à l'instrumentalisation du statut personnel, ainsi que la section précédente le mettait en évidence. Dès lors, comme le remarque Omar Carlier[8], le non-renoncement au statut personnel fait « fonction de "petite *jihad*" dans la recherche de citoyenneté comme recomposition de l'identité, comme inscription de l'islamité dans la modernité ».

Ce chapitre a tenté jusqu'à présent de mettre en évidence le poids de l'héritage colonial en matière de construction des Algériens et des Algériennes comme des citoyens lorsque leur pays deviendra indépendant. Avant d'y venir, je voudrais encore souligner la part de responsabilité de la puissance coloniale dans la place qui sera faite à l'armée algérienne après l'indépendance en 1962.

UN PASSAGE DE TÉMOIN ENTRE MILITAIRES

Le déclenchement de l'« insurrection » armée du 1er novembre 1954 trouve son origine immédiate dans la répression terrible des manifestations de mai 1945. Le 8 mai, les « musulmans » participent aux marches qui saluent la fin de la Seconde Guerre mondiale. Des drapeaux algériens apparaissent, des slogans revendiquant leurs droits sont scandés. Et c'est la tuerie. À Paris, le gouvernement est dirigé par Charles de Gaulle et compte des ministres communistes. C'est aussi la prise de conscience par de nombreux Algériens – beaucoup de leurs fils avaient donné leur vie « pour la patrie » ; Alger avait été le siège du gouvernement de la « France libre », c'est là, par exemple, que fut adopté le décret accordant le droit de suffrage aux femmes françaises en 1944 – que les armes sont le seul moyen qui leur reste.

La longue guerre pour l'indépendance de l'Algérie (1954-1962) a été exceptionnelle à plus d'un titre. Elle est, après celle du Vietnam, la guerre d'indépendance la plus longue et la plus meurtrière. Quel que soit le nombre de victimes – l'Algérie cite le chiffre d'« un million de martyrs », parfois même de un million et demi –, il a été extrêmement élevé. Il s'agissait d'une lutte de David contre Goliath et la victoire du premier a été une victoire politique et non une impossible victoire militaire. Victoire arrachée grâce à la mobilisation populaire des Algériens et des Algériennes et à la pression de l'opinion publique internationale[9] et finalement française[10]. Il s'agissait aussi d'une « sale guerre » au cours de laquelle des actes de barbarie immondes ont été perpétrés et la torture érigée en système, notamment par l'armée française, qui était une armée d'« appelés du contingent[11] ».

En fait, la France n'a jamais admis qu'il s'agissait d'une guerre. On parlait alors pudiquement des « événements d'Algérie », de la « rébellion ». Il s'agissait d'y rétablir l'ordre, par une opération de police à grande échelle, contre des « fellaghas », contre des « terroristes ». La situation était d'autant plus tendue qu'il y avait un million de « pieds-noirs » sur le territoire algérien tandis qu'il y avait en France une importante population de travailleurs algériens, originaires en grand nombre de Kabylie. Les colons souvent établis depuis plusieurs générations n'envisageaient pas de quitter leur pays, mais la plupart n'envisageaient pas non plus de le partager équitablement avec les « musulmans ». Ils tentèrent à plusieurs reprises d'imposer une solution « à la rhodésienne » : séparation de l'Algérie de la France sous leur gouverne. En mai 1958, ils rencontrèrent la complicité de généraux français en place à Alger. C'est pour y couper court que de Gaulle revient au pouvoir, à l'occasion d'un coup d'État qui n'a jamais dit son nom. Il promeut d'abord une « véritable » intégration de l'Algérie à la France, en accordant enfin la citoyenneté et les droits politiques aux « musulmans » et en mettant en branle le « plan de Constantine » destiné à industrialiser un pays encore largement agricole (sinon l'exploitation des gisements de pétrole dans le sud). Dans le même temps, l'effort de guerre s'intensifie afin de mettre l'Armée de libération nationale (ALN) à genoux et les populations civiles (algériennes) sont « regroupées » dans des camps sous le contrôle de l'armée (française).

De Gaulle finit par s'incliner en proposant l'« autodétermination ». Ces tergiversations qui prirent quatre années (1958-1962) ont ouvert la voie à la constitution et au déploiement de l'Organisation de l'armée secrète (OAS), composée de colons fascisants, qui sema la terreur tant en Algérie qu'en France : en avril 1962, les attentats imputables à l'OAS sont en moyenne de dix par jour pour la seule ville d'Alger. Son objectif consistait notamment à laisser l'Algérie « comme en 1830[12] ». Nombre de ses membres ont fini par se reconvertir dans l'actuel Front national[13]. Les exactions de l'OAS ont abouti à ce que le maintien massif de « pieds-noirs » en Algérie après l'indépendance s'avère impossible. Une solution telle que celle qui a prévalu en Afrique du Sud était alors impensable et ce fut l'exode des Européens en juin et juillet 1962. Ce qui a eu pour effet de démembrer le fonctionnement des structures économiques et administratives en place et d'effacer la possibilité de construire un pluralisme religieux.

Mais qu'il ait fallu quatre années pour en arriver là, quatre années marquées par une intensification de la guerre, a eu pour effet, plus lourd de conséquences encore, de spolier le peuple de sa victoire et de la concéder à l'« armée des frontières » basée en Tunisie et au Maroc. On pourrait dire qu'il s'est agi d'un passage de témoin d'un général (de Gaulle) à un colonel (Boumediene). Le tout se passant entre militaires. Que de Gaulle ait le mérite d'en avoir appelé à la résistance française au nazisme et d'avoir prononcé « vive le Québec libre » n'oblitère pas qu'il puisse être tenu partiellement responsable de ce que l'armée algérienne ait pesé et continue à peser sur les destinées de ce pays. Poids contre la mise en place d'un régime démocratique. Alors et maintenant.

La guerre d'Algérie est une guerre de guérilla. Elle est déclenchée le 1er novembre 1954 par une action armée simultanée et coordonnée sur l'ensemble du territoire. Le sigle FLN – Front de libération nationale – apparaît. Son objectif politique est l'indépendance de l'Algérie. Pour le concrétiser, il faut en passer par la lutte armée, puisque le gouvernement français était, est et restera longtemps persuadé que « l'Algérie, c'est la France ». Une tension s'instaure immédiatement entre le politique et le militaire : dans les faits, le premier est soumis au second. Ce dernier a, par la force des choses, énormément de difficulté à se ravitailler à l'intérieur de la colonie. Vont donc assez vite se mettre en place une

« armée de l'intérieur », composée surtout de paysans, qui se déploie dans les maquis, et une « armée de l'extérieur », qui se poste aux frontières et ravitaille les maquis en hommes et en munitions. Dès 1956 et le Congrès de la Soummam, le premier Congrès du FLN, cette double tension entre le politique et le militaire et entre l'intérieur et l'extérieur est perçue par Abdane Ramdane qui en est l'un des principaux organisateurs. Il privilégie le politique et l'intérieur. En 1957, il sera exécuté, par Boussouf, le responsable de la « police politique » du FLN, basé au Maroc.

Des dissensions sont en effet extrêmement importantes au sein du mouvement de libération nationale. Elles résultent de l'histoire algérienne qui depuis 120 ans de colonisation française se joue essentiellement sous la forme d'une résistance, le plus souvent clandestine, afin d'échapper tant bien que mal à la répression. Le FLN est l'aboutissement d'un long cheminement politique. Le pouvoir établi après l'indépendance en fera le point de départ, procédant ainsi à une occultation de tout un pan de la mémoire. Occultation dont les effets se donnent à lire dans l'actuelle guerre contre les civils.

L'OCCULTATION DE LA MÉMOIRE

Deux personnages avaient pourtant incarné l'histoire politique algérienne immédiatement avant 1954 : Messali Hadj et Ferhat Abbas. Pour éclairer leur rôle, il convient de mentionner un autre « duo paradoxal et spécifique de l'Algérie », pour reprendre une formule de Carlier : celui qui est constitué par le Parti communiste algérien (PCA) et les oulémas. Le PCA[14] est créé en 1936, il succède à la section algérienne du PCF. Sa composition sociale est principalement d'origine européenne, mais il a une influence sur le prolétariat urbain dans les années 1920 et rural (essentiellement « musulman ») dans les années 1930. Il tardera très longtemps à adhérer à la revendication de l'indépendance de l'Algérie au nom de l'« unité de la classe ouvrière ».

Les oulémas constituent un mouvement, dont Ben Badis est la figure principale. Son orientation[15] « nationaliste » repose sur la réappropriation de la langue arabe et la valorisation de l'islam « savant » au détriment des pratiques « populaires » maraboutiques, de l'« obscurantisme superstitieux ». Ben Badis énonce une phrase qui deviendra slogan : « L'arabe est ma langue, l'Algérie est ma patrie, l'islam est ma religion. » Son influence est essentiellement culturelle et « humanitaire », dirait-on aujourd'hui : scouts musulmans, écoles coraniques, associations caritatives. L'objectif visé est de faire entrer le peuple algérien dans la modernité religieuse tout en tenant compte de la présence de la colonisation. Afin de permettre l'épanouissement de la religion musulmane, le mouvement des oulémas revendique, dans les années 1930, la séparation du religieux et du politique, comme nous l'avons vu. Il restera très longtemps opposé au recours aux armes pour obtenir l'indépendance.

Ferhat Abbas est pharmacien à Sétif. Il a donc bénéficié de l'école républicaine. Il tente précisément de prendre la patrie des droits de l'homme aux mots en insistant sur les contradictions entre les valeurs républicaines et les comportements de la France coloniale. Il fonde en 1944 un mouvement fédéraliste qui réclame l'autonomie de l'Algérie rattachée à la France : les Amis du manifeste et de la liberté (AML) et, après la répression qui l'a aussi personnellement touché en mai 1945, il anime l'Union démocratique du manifeste algérien (UDMA) qui promeut l'« émancipation par la science[16] », la multiplication des écoles, la construction de routes, l'accès des paysans au matériel agricole, etc. Il ne sera pas entendu et finira par se rallier avec circonspection au FLN qui le désignera, le 19 septembre 1958, président du premier gouvernement algérien en exil, le Gouvernement provisoire de la République algérienne (GPRA). Il sera remplacé à ce poste par Ben Khedda en 1961, mais, le 20 septembre 1962, il est désigné à la présidence de l'Assemblée nationale de l'Algérie indépendante. Il en démissionne le 13 juin 1963. Il est arrêté et envoyé en résidence forcée à Adrar le 3 juillet 1964 ; il est libéré le 8 juin 1965, quelques jours avant le coup d'État de Boumediene qui renverse Ben Bella. En mars 1976, il lance un appel « pour une libération politique et contre la guerre du Sahara contre le Maroc ». Il est aussitôt placé en résidence surveillée. Cette mesure est levée le 13 juin 1977.

Dans la biographie qu'ils lui consacrent, Stora et Daoud concluent que la lecture de la vie de cet homme illustre

> *l'histoire d'un pays dominé par un système colonial, les doutes et les interrogations d'un intellectuel musulman, les influences républicaines subies puis revendiquées, la part, immense, de l'Islam, le tout composant le tableau d'une Algérie convulsive, énigmatique et douloureuse, en train de se faire.*

On pourrait aussi ajouter que Ferhat Abbas était le personnage-clé que la France coloniale, si elle n'avait pas été bornée, aurait dû prendre pour interlocuteur privilégié après la Seconde Guerre mondiale. Pour cette raison même, il a toujours été tenu en suspicion par les nationalistes de cette période et par le FLN avant et après l'indépendance. Ce qui ne sera pas sans effet sur la faible constitution d'une intelligentsia.

Messali Hadj est, quant à lui, l'incarnation du leader charismatique « populiste[17] ». En 1926, il fonde l'*Étoile nord-africaine* dans les milieux de l'émigration ouvrière en France et, en 1937, le Parti du peuple algérien (PPA). Ce parti emprunte les principes républicains mis de l'avant par la mouvance autour de Ferhat Abbas et la valorisation du religieux mise à l'honneur par Ben Badis et les oulémas, mais il pose l'indépendance de l'Algérie comme condition de leur accomplissement. Il préconise donc fermement le primat du politique sur le culturel. Son message dépasse l'émigration où le cadre environnant a rendu possible l'énoncé de son programme et trouve un large écho auprès de jeunes en Algérie dès avant la Seconde Guerre mondiale. Messali est régulièrement arrêté et placé en résidence surveillée.

Ce qui augmente encore son aura. En 1946, le PPA, qui a entre-temps été interdit, devient le Mouvement pour le triomphe des libertés démocratiques (MTLD).

Le PPA, puis le MTLD, dont l'objectif principal est l'indépendance de l'Algérie, sont des partis inter-classistes qui visent à réunir le plus grand nombre d'Algériens, aussi toutes les questions qui pourraient les diviser entre eux sont-elles bannies ou, en tout cas, occultées au maximum. Se développe le « fraterna-lisme » qui sera repris par le FLN pendant et après la guerre pour l'indépendance. Ainsi que l'écrit Carlier, si le mouvement des oulémas ne connaît que des croyants et le Parti communiste que des camarades,

> *le PPA lui ne veut reconnaître que des « frè-res ». Le mot « citoyen » n'est pas accessible au plus grand nombre ; de ce fait il est peu manié par le parti. Mais il est impliqué dans le* chaab [peuple]. *C'est cela le peuple, un collec-tif d'hommes libres appelés à décider de son sort par le truchement d'une « constituante souveraine élue au suffrage universel, sans distinction de race ni de religion »*[18].

Cette vision égalitariste des droits prend appui sur la tradition de 1789 véhiculée par les instituteurs métropolitains en Algérie, mais aussi sur le vieux fonds égalitaire de l'islam. L'élite de l'*Étoile nord-africaine*, puis du Parti du peuple algérien est, selon le mot de Carlier, une « élite de certificat d'études » (primaires). Elle est aussi francophone alors que la masse du peuple

l'est peu. Une des crises majeures au sein du Mouvement pour le triomphe des libertés démocratiques
tournera d'ailleurs autour de la langue dans l'Algérie
indépendante : l'arabe sera-t-il langue principale ou
langue unique[19] ? Elle se produit en 1949. Elle n'est pas
la seule. L'idéologie centriste qui fait la puissance du
mouvement de Messali en fait aussi sa faiblesse. Les
différences (régionalistes, linguistiques, idéologiques,
religieuses) qui sont occultées font souvent retour sous
le mode du soupçon, tandis que l'interclassisme se
cramponne à la distinction entre « riches et pauvres ».

La culture unanimiste que développe le mouvement
messaliste constitue certes un obstacle au déploiement
d'un régime démocratique censé gérer argumenta-
tivement les conflits toujours à l'œuvre. La mécon-
naissance ou le refus de prendre ces conflits en
considération augurent incontestablement mal de l'avenir. On ne peut pourtant pas faire l'impasse sur les
conditions dans lesquelles s'inscrit la situation : arracher l'indépendance d'une colonie à une métropole
complètement sourde aux revendications « réformistes » proposées et aveugle aux inégalités criantes
entre colonisés et colons. Il en ira partiellement de
même pour la période après 1962, qui exigera de
construire une indépendance politique et économique
sur des ruines. Cela ne peut pas être oublié, même
lorsqu'il s'agit de tenter un bilan critique pour rendre
compte de la tragédie actuelle.

LES CONFLITS INTERNES

Les « hommes du 1er novembre » (1954) qui déclenchent la lutte armée sont issus du mouvement
messaliste, marqué par la tradition jacobine française,
le socialisme universaliste et l'islam politique, ainsi que
le formule Stora[20]. On pourrait, même si l'expression
finit par être éculée, considérer que le FLN naissant en
1954 concrétise la révolte des fils contre le père
Messali. Celui-ci va pourtant se rebiffer. Et ce seront
d'incessants règlements de compte sanglants, pendant
la lutte de libération, en Algérie et en Europe (surtout
en France, mais aussi en Belgique), entre le FLN et le
Mouvement national algérien (MNA) que Messali a
créé pour faire pièce au FLN. Cette guerre fratricide,
attisée par la puissance coloniale, qui se déploie au sein
même de la lutte pour l'indépendance, a été très meurtrière et elle a donné lieu à des actes de barbarie typi-
ques d'une guerre civile. Elle a été niée par le discours
officiel après l'indépendance. Le FLN l'ayant officiellement emporté, il s'est prévalu, seul, du titre de cham-
pion de l'indépendance. Renvoyant Messali et tous les
messalistes qui luttaient depuis 1926 pour ce même
objectif aux oubliettes. C'est ainsi que l'on peut dire
que le FLN s'est instauré, en niant toute logique
historique, en point de départ et non en point d'aboutissement de la lutte des Algériens pour leur indépendance. On le perçoit dans le silence assourdissant qui a
entouré la figure de Messali Hadj dans la postindépendance, mais il n'est pas exclu que, lors des
actuelles tueries[21], on assiste à un retour du refoulé.

Celui-ci se donne sans conteste à enregistrer à propos des « harkis ». C'est un autre épisode, encore moins glorieux, de cette guerre pour l'indépendance dans ses pires aspects, même si elle ne peut y être réduite. Les « harkis », ce sont les « collabo » de la guerre d'Algérie, ceux qui ont « choisi » de prêter main forte à la puissance coloniale contre leur peuple. À l'indépendance, un certain nombre d'entre eux ont réussi à rejoindre la métropole à temps. Ils croupissent aujourd'hui, eux et leurs enfants, dans les banlieues françaises les plus défavorisées parmi les banlieues françaises défavorisées. Les autres se sont fait purement et simplement massacrer entre mars et juillet 1962. Les « harkis » étaient coupables de s'être trompés de camp et leur erreur s'est concrétisée par un nombre indéterminé, mais important de « rebelles » arrêtés et assassinés après avoir été torturés dans les geôles coloniales. Reste qu'ils auraient dû être jugés plutôt qu'être laissés en pâture aux « martiens » – les combattants de la vingt-cinquième heure qui avaient du zèle inemployé à galvauder après le cessez-le-feu. Cela étant, le terme « harki » est de nouveau utilisé en Algérie depuis 1993. La presse aux ordres n'a en effet rien trouvé de mieux que de redésigner les actuels « ennemis de la Nation » – à entendre, les « islamistes » – par ce terme de « harkis », sinon, en poussant le réalisme dans ses derniers retranchements, par celui de « fils de harkis ». Ce qui est censé « justifier » qu'ils soient abattus comme des bêtes.

À l'indépendance, seuls les aspects glorieux de la guerre du côté algérien sont mis en évidence, les horreurs étant seulement imputées aux colons et à leur armée. Or, non seulement y a-t-il eu les massacres de harkis et les règlements de compte sanglants entre sympathisants du FLN et sympathisants du MNA, mais un nombre indéterminé de sympathisants du FLN ont eux aussi été liquidés par les leurs. On a cité le cas de Ramdane, mais il en est beaucoup d'autres. Cela tient partiellement aux conditions mêmes de la guerre et de l'organisation combattante : le soupçon régnait en maître. Il était mortel.

La chape de silence ne s'est pas seulement refermée sur les épisodes peu glorieux de la guerre de libération nationale, elle a également recouvert l'histoire d'avant 1954. Le nom de Messali Hadj, par exemple, est devenu tabou ; l'action réformiste de Ferhat Abbas et de ses amis a été ignorée. Le rôle du PCA a été fondu dans le mouvement syndical, non sans une certaine complicité du Parti de l'avant-garde socialiste[22] lui-même, officiellement clandestin. N'est resté comme repère pré-FLN que le mouvement des oulémas et son objectif culturel : recouvrer la langue arabe et faire accéder tous les Algériens et Algériennes au savoir, à l'école. Objectif incontestablement louable mais qui, déconnecté d'une assise politique (argumentative), fera, à terme, le lit de l'« islamisme », comme nous aurons l'occasion de le voir.

Reste le Front de libération nationale qui garde son nom jusqu'à présent, comme si la libération restait inachevée... Il ne s'est en tout cas pas transformé en parti politique. Il ne l'a jamais été. Le Front s'est constitué sur les dépouilles du PPA-MTLD qui se déchirait entre « messalistes » et « centralistes » – des membres du comité central de ce parti plus enclins à une « solution étapiste ». Toutefois, pour faire barrage aux messalistes, des centralistes courtisent des partisans déterminés de la lutte armée. À l'été 1954, à la suite d'une série de tractations qui sont loin d'être transparentes[23], ce sont les « activistes » qui finissent par l'emporter. Un tract du 22 octobre 1954 en rend compte :

> *Avant de passer à l'action directe, les chefs de l'armée allèrent, tour à tour, trouver les centralistes et les messalistes et leur demandèrent leur appui politique. Les deux clans refusèrent. Il fut alors décidé de créer de toutes pièces une organisation politique : ce fut le FLN...*

D'après Mohamed Harbi qui cite ce texte[24], il s'agit là d'une schématisation excessive des réponses fournies par les courants messaliste et centraliste. On retiendra surtout ici son commentaire : « candidats à la direction d'une armée, les activistes s'érigeaient, du fait de la démission des centralistes et des messalistes, en parti ». Les fondateurs du FLN s'orientent vers l'action, malgré les faiblesses de leur organisation et la puissance des forces coloniales. Leur « foi dans les vertus intrinsèques de la lutte[25] » et le courage de ceux qui les suivront aboutiront au résultat recherché : l'indépendance de l'Algérie.

Cela ne fait pas du FLN un parti politique. À l'indépendance, il devient une « prolifération de bureaux de réception et un lieu de transit vers l'appareil d'État[26] ». En se maintenant sous son appellation de guerre, il devient la façade « civile » qui permet à l'armée – qui elle d'Armée de libération nationale (ALN) se transforme en Armée nationale populaire (ANP) – d'exercer le pouvoir. Le primat du militaire, que la guerre et la manière dont l'indépendance a été octroyée ont favorisé au détriment du politique, s'officialise dès juillet 1962. Rappelons le fil des événements : le cessez-le-feu est proclamé le 18 mars (accords d'Évian). L'indépendance de l'Algérie est ratifiée par le peuple français lors du référendum du 8 avril et par le peuple algérien lors du référendum du 1er juillet[27]. Elle est proclamée le 3 juillet et le GPRA entre triomphalement à Alger le 7. Il est alors dirigé par Ben Khedda qui a remplacé Abbas en 1961, à la suite de différends portant sur les négociations avec la France, mais aussi des résultats des tractations de coulisse afin de placer en scelle l'état-major général de l'ALN qui contrôle l'armée des frontières et vise à contrôler aussi l'armée de l'intérieur (*wilayas*) jusqu'alors sous commandement « politique ».

Aux premiers jours de juillet 1962 se constitue le « groupe de Tlemcen[28] » qui est constitué de quelques membres du bureau politique, l'état-major de l'ALN, les représentants des oulémas. En face se déclare le « groupe de Tizi Ouzou[29] » autour de Krim Belkacem et Mohamed Boudiaf, aux profils politiques différents, soutenu par le maquis kabyle et une partie des maquis de l'Algérois et du Nord-Constantinois. Des tueries ont lieu un peu partout. Notamment en Oranie contre des Français qui n'avaient pas choisi l'exil, mais aussi entre maquisards. Finalement, le 25 juillet, Ben Bella, soutenu par le « groupe de Tlemcen », et en particulier par Boumediene, le chef d'état-major de l'armée, arrive à Alger. Le premier gouvernement est formé le 26 septembre.

Mohamed Harbi[30], tout en soulignant que les dirigeants du FLN avaient « tous en commun leur participation totale à la guerre d'indépendance et leur patriotisme », remarque en même temps que

> *dans ces victimes et ces rebelles de la colonisation sommeillent des maîtres dont le modèle n'est ni le fonctionnaire, ni le colon, mais le caïd et le notable rural, symboles d'un pouvoir qui trouve ses racines dans la tradition nationale et qui favorise l'apparition d'un personnel politique dont les pratiques rappellent plus celles de la cour du sérail que celles du militantisme.*

Ce phénomène est certes largement explicable par le poids de la colonisation et le déroulement de la guerre : les Algériens n'avaient jamais fait l'expérience des institutions démocratiques, puisqu'ils en étaient insolemment exclus et que leurs revendications politiques n'étaient jamais prises en considération, même à la fin de la guerre. Rien n'avait été fait pour que les droits politiques jouent un rôle primordial pendant cette lutte. De la part de la République. Et aussi du mouvement de

libération nationale qui tenait la libération du « pays »
pour la condition principale de la réforme du pays. Ce
que je vais esquisser dans le chapitre suivant en prenant
appui sur la construction de la « femme algérienne ».

LA GUERRE POUR L'INDÉPENDANCE
ET LA CONSTRUCTION
DE LA « FEMME ALGÉRIENNE »

La présente guerre contre les civils est rendue possible par l'inexistence ou, au moins, par la portion congrue laissée au politique en Algérie depuis l'indépendance. C'est elle également qui peut être tenue responsable de la « montée de l'islamisme » et elle n'est pas étrangère à ce que d'aucuns appellent la « faillite de l'État-FLN » qu'ils circonscrivent le plus souvent au plan économique. Or, la gestion de la pluralité des langues lors de l'« arabisation » n'est pas moins importante et son échec relève aussi de la faillite politique. La faillite de l'économique et celle du linguistique seront traitées dans le quatrième chapitre.

Elles résultent l'une et l'autre de la portion congrue laissée au politique, de la crispation sur l'idée que l'Algérie est une, à l'abri de différences à gérer. Occurrence qui privilégie le communautaire sur le sociétal. De ce point de vue, l'Algérie constitue un laboratoire où les traités de science politique sont immédiatement confrontés à la pratique. Confrontation tragique pour les hommes et les femmes qui en sont les acteurs précisément déniés en tant qu'acteurs, en tant qu'intervenants dans l'espace public et dans l'espace politique. Dans cette situation exacerbée, c'est la prise en considération de la situation des femmes qui est, me semble-t-il, la plus éclairante. C'est l'examen de la construction de leur tenue à distance à elles du politique qui permet le mieux de saisir la marginalisation « citoyennetaire » de tous, y compris des hommes. L'Algérie est un laboratoire aussi en ce qu'elle illustre tragiquement combien l'universalisme, quand il se réduit sans état d'âme au masculinisme – tel qu'il s'est déployé dans la modernité démocratique occidentale pendant près de deux siècles – est intenable. Quand elle parviendra à surmonter cette aporie, sans doute sera-t-elle enfin reconnue comme un « phare ». Ce à quoi elle a toujours maladroitement aspiré.

On l'a vu dans le premier chapitre, le fondement de l'exclusion des colonisés de la citoyenneté française réside dans le non-renoncement au « statut personnel », aux règles qui président aux rapports familiaux et aux rapports sociaux de sexe. Fondement de l'exclusion de la citoyenneté qui fonctionne simultanément comme principe identitaire structurant. L'un et l'autre se rejoignent sur la soumission des femmes aux hommes. L'interprétation du rôle des femmes pendant la guerre pour l'indépendance et leur interpellation par la suite constituent sans doute le point le plus tangible de ce que les Algériens ne sont pas construits en sujets politiques. C'est vrai pour les femmes, mais ça l'est tout autant pour les hommes, malgré le machisme ambiant. La promulgation du *Code de la famille* en 1984 constitue le point d'orgue de ce scénario qui est devenu cauchemardesque. Dans ce chapitre, nous nous attacherons aux modalités d'instrumentalisation des femmes pendant la guerre de libération (1954-1962). Elles restent éclairantes pour le présent et n'ont pas manqué de produire des effets après l'indépendance.

Par la force des documents disponibles, il sera essentiellement fait référence à la représentation[1] de la « femme algérienne » telle qu'elle est alors mise en chantier. Pour ma défense, je n'alléguerai qu'un seul point, sur lequel je reviendrai encore ultérieurement : le déni du politique sur lequel s'est construit l'État en Algérie depuis l'indépendance – ou plus précisément la non-fondation d'un État en raison de ce déni du politique – constitue apparemment une situation hors norme dans l'analyse politique. Pour creuser cette hypothèse de l'État non fondé, il s'agit de chercher les éléments susceptibles de rendre possible cette non-fondation. La formulation même de cette proposition est sans conteste paradoxale.

De plus, cette non-fondation de l'État est largement recouverte par une inflation de références au politique. Il me paraît qu'attaquer ce recouvrement par le discours tenu sur les femmes constitue l'occurrence la moins réductrice. Discours qui, en les exhibant dans la « révolution », les marginalise dans la possibilité d'être reconnues comme sujets qui parlent et agissent dans l'espace politique. Cette tenue à distance du politique ne concerne pas seulement les femmes, mais c'est les concernant qu'elle se donne le moins malaisément à lire. C'est en effet les concernant que la construction problématique de l'espace politique est le moins

obscurément déchiffrable. L'examen de la représentation des femmes est ici utilisé en vue de ce
déchiffrement.

LES FEMMES ET LA GUERRE

Pendant la guerre pour l'indépendance, les femmes
ne sont bien sûr pas absentes de l'effort fourni par le
peuple algérien pour échapper à la colonisation. Elles
sont présentes dans leur écrasante majorité comme
ménagères : elles soutiennent fils et maris partis au
maquis, elles nourrissent et blanchissent les maquisards
de passage. Elles veillent aussi par divers moyens à
faire en sorte qu'ils ne tombent pas dans les griffes de
l'armée française. De nombreuses anonymes paient
aussi le tribut classique des femmes à la guerre : elles
sont violées par les soudards. Une infime proportion de
femmes montent elles-mêmes au maquis et, lorsqu'elles y sont acceptées, c'est en tant qu'infirmières
ou cuisinières. Cela dit, leur rôle, même s'il est effacé,
est extrêmement important dans une guerre de partisans. La situation change quand la guerre se propage en
milieu urbain à partir de 1957. Alors, des femmes
deviendront d'actifs agents de liaison et transporteront
des armes. Certaines en viendront même à perpétrer
des attentats, à poser des bombes, par exemple, dans
des cafés fréquentés par des Européens. Les « terroristes » urbaines jouent de leur apparence européenne.
Ces épisodes sont finement mis en lumière en 1964
dans le film *La bataille d'Alger*. Elles sont arrêtées,
torturées et condamnées à de lourdes peines de prison.

Djamila Amrane – c'est son nom de guerre ; d'origine française, elle s'appelle Danièle Mine – est l'une d'elles. Elle a retracé sans grandiloquence cette épopée dans une thèse publiée en deux volumes distincts[2]. Elle remarque au passage, sans en tirer les conclusions qu'elle n'a probablement pas manqué de faire par devers elle, combien, en prison, le comportement des femmes était différent de celui des hommes. Elle note d'abord que les détenues

> *ont su exploiter la faculté féminine de vivre en commun et d'éviter les écueils auxquels se sont heurtés les détenus politiques hommes, tels que le régionalisme, les oppositions dues à des divergences politiques et à la lutte pour le pouvoir.*

Amrane impute « un des facteurs de la réussite de leur communauté » au fait que

> *généralement peu formées politiquement et n'ayant pas eu d'appartenance politique antérieure à la guerre, les détenues accordent peu de place au discours politique [...] Leur union autour d'un seul objectif, l'Indépendance, en fait un bloc indestructible.*

Le passage par la prison ne semble pas modifier ce positionnement par rapport au politique. En effet, poursuit Amrane,

> *pour les Algériennes, la détention est une école de formation culturelle et intellectuelle, mais pas de formation politique, ce qui la rendit*

> *certainement plus agréable à vivre, mais expli-*
> *que peut-être en partie le désengagement*
> *constaté après l'Indépendance.*

Cette dernière proposition évoque le désengagement des femmes, en particulier des anciennes
moudjahidate (combattantes), à l'égard de la chose publique. Or, Amrane fournit elle-même une description
qui irait plutôt dans le sens que la *res publica* dans la
période postindépendante ne correspond en rien à
l'expérience politique vécue par les détenues en
prison[3]. Elle rapporte en effet que

> *alors que toutes les collectivités de détenus*
> *hommes choisissent des responsables, les*
> *militantes, elles, s'organisent sans leader. Les*
> *décisions sont prises au cours de discussions*
> *tenues sans protocole et soumises à la majo-*
> *rité. Les contacts avec l'administration* [de la
> prison] *se font généralement par roulement*
> *afin de ne pas désigner de « meneuses ».*

Cette tactique n'est toutefois pas seulement utilisée à
l'égard de l'administration pénitentiaire française, elle
l'est également à l'égard du FLN qui en est « dérouté ».
Amrane précise :

> *cette démocratie à l'athénienne déroute l'orga-*
> *nisation FLN masculine des prisons. Il n'est*
> *pas possible de transmettre un ordre ou une*
> *demande à la responsable du quartier des*
> *femmes, il faut avertir « les sœurs » et attendre*
> *leur décision. À plusieurs reprises, le FLN*

> *demande aux militantes de désigner une res-*
> *ponsable. Dans le cas que je connais, elles s'y*
> *sont refusées.*

Et l'auteure cite les cas de la prison civile d'Alger en 1957 et de la prison de Pau en 1960.

Amrane conclut, trop rapidement à mon goût, sur cette pratique :

> *les décisions continuent à être prises par des*
> *assemblées générales qui d'ailleurs se réunis-*
> *sent selon les besoins, sans aucun protocole.*
> *Cette forme très souple mais efficace d'orga-*
> *nisation, adoptée parce qu'elle convient à*
> *l'égalitarisme des militantes, a eu l'avantage*
> *d'éviter tous les conflits de pouvoir.*

Il n'y a certes pas lieu d'idéaliser les pratiques fémi-nines de la politique, d'en faire le modèle qu'il aurait été souhaitable que les hommes suivent. Mais reste à expliquer comment ces pratiques effectives, même si les prisonnières n'avaient pas de « formation politi-que », ont abouti au « désengagement constaté après l'Indépendance ».

Sans qu'elle n'en constitue la seule explication, on ne peut manquer de se demander si l'instrumentali-sation de la participation des femmes à la guerre, telle qu'elle est formalisée par Frantz Fanon dans *L'an V de la Révolution algérienne*[4], singulièrement dans le chapitre premier intitulé « L'Algérie se dévoile », n'aurait pas contribué à ce désengagement ou, plus justement, n'aurait pas cautionné l'impatience de

« l'organisation FLN masculine » à l'égard de ce comportement qui le déroutait.

LES DESTINATAIRES
DE « L'ALGÉRIE SE DÉVOILE »

La manière de faire de l'auteur des *Damnés de la terre* reste éclairante pour comprendre l'aujourd'hui. Fanon commence par planter le décor en rationalisant la perspective de l'administration coloniale, alimentée, rappelle-t-il, non sans justesse, par des travaux de sociologues et d'anthropologues. L'administration coloniale serait persuadée qu'elle ne parviendra à vaincre la résistance des Algériens que si elle réussit à « conquérir les femmes ». La description que Fanon fait du raisonnement colonial ne manque pas de résonner avec la situation contemporaine :

> *l'administration dominante veut défendre solennellement la femme humiliée, mise à l'écart, cloîtrée... On décrit les possibilités immenses de la femme malheureusement transformée par l'homme algérien en objet inerte, démonétisé, voire déshumanisé. Le comportement de l'Algérien est dénoncé très fermement et assimilé à des survivances moyenâgeuses et barbares. Avec une science infinie, la mise en place d'un réquisitoire-type contre l'Algérien sadique et vampire dans son attitude envers les femmes est entreprise et menée à bien.*

D'après Fanon, les recherches sociologiques et anthropologiques menées par « l'occupant » à propos de la vie familiale aurait pour objectif d'« enfermer l'Algérien dans un cercle de culpabilité ». Le tissage de cette toile par les idéologues répondrait au calcul suivant de l'administration coloniale :

> *l'Algérien, est-il assuré, ne bougera pas, résistera à l'entreprise de destruction coloniale menée par l'occupant, s'opposera à l'assimilation tant que sa femme n'aura pas renversé la vapeur. Dans le programme colonialiste, c'est à la femme que revient la mission historique de bousculer l'homme algérien.*

Il faut garder à l'esprit que Fanon écrit ce livre afin d'amener les intellectuels et les « progressistes » français, qui ne l'ont pas encore fait, à rallier la cause de l'indépendance algérienne. C'est dans cette perspective qu'il déconstruit, en l'exhibant crûment, la visée de l'administration coloniale. Mais la tournure qu'emprunte l'exposition du discours de l'administration coloniale – « destruction culturelle menée par l'occupant » ; « programme colonialiste » – donne à penser que ce rapport destiné à dénoncer ce discours n'est pas loin d'en reconnaître, s'agissant du rôle de la femme, son bien-fondé.

Il ne s'agit pourtant pas d'accorder un satisfecit aux idéologues coloniaux. Le livre de Fanon s'adresse aussi aux militants algériens qui se préparent à assumer la gouverne de leur État indépendant. Pour les progressistes français comme pour les militants algériens, il désamorce l'attitude machiste des hommes algériens à l'égard de leurs femmes. Cette attitude est renvoyée à un stratagème de l'administration coloniale pour déconsidérer la résistance des colonisés à l'entreprise coloniale. Mais ce discours destiné à déculpabiliser l'homme algérien entérine que la femme est bien le maillon faible de la résistance.

La hargne qui empreint les propos de Fanon n'est sans doute pas seulement imputable au souci de confondre les noirs desseins de l'administration coloniale. La noirceur de ces desseins n'empêche pas leur fiabilité. Cette hargne se donne à lire dans l'insistance que met Fanon à clarifier son propos. Après avoir suggéré le constat que « les responsables du pouvoir [colonial], après chaque succès enregistré, renforcent leur conviction dans la femme algérienne conçue comme support de la pénétration occidentale dans la société autochtone », il expose les conclusions qu'ils sont censés en avoir tiré :

> *chaque voile rejeté découvre aux colonialistes des horizons jusqu'alors interdits, et leur montre, morceau par morceau, la chair algérienne mise à nu. L'agressivité de l'occupant, donc ses espoirs sortent décuplés après chaque visage découvert.*

Il délaisse pourtant la « chair algérienne » pour en revenir à celle de la femme et énoncer : « chaque nouvelle femme algérienne dévoilée annonce à l'occupant une société algérienne aux systèmes de défense en voie de dislocation, ouverte et défoncée ». Mais il entretient la confusion et il laisse planer, on s'y attend, la menace de l'accusation de traîtrise :

> *chaque voile qui tombe, chaque corps qui se libère de l'étreinte traditionnelle du* haïk, *chaque visage qui s'offre au regard hardi et impatient de l'occupant, exprime en négatif que l'Algérie commence à se renier et accepte le viol du colonisateur.*

Aussi : « la société algérienne avec chaque voile abandonné semble accepter de se mettre à l'école du maître et décide de changer ses habitudes sous la direction et le patronage de l'occupant ».

LE VOILE COMME EMBLÈME

On se méprendrait si l'on tenait Fanon pour un partisan du voile. Pour lui, le voile n'est ni un symbole religieux, ni un signe de soumission des femmes, mais l'emblème de la résistance du colonisé à l'emprise du colonisateur. Il est un étendard politique. À usage masculin. La femme voilée/dévoilée disparaît du propos lorsque Fanon justifie le fait que

> *face à la violence de l'occupant, le colonisé est amené à définir une position de principe à l'égard d'un élément autrefois inerte de la configuration culturelle autochtone. C'est la rage du colonialiste à vouloir dévoiler l'Algérienne, c'est son pari de gagner coûte-que-coûte la victoire du voile qui vont provoquer l'arc-boutant de l'autochtone.*

Cette attitude, indifférente à la porteuse du voile, renvoie, paraît-il, à « l'une des lois de la psychologie de la colonisation » : l'objet de la résistance du colonisé est déterminé par le colonisateur qui découvre là où ça lui fait mal. En l'occurrence, l'acharnement du colonisateur contre le voile « féminin » amène « le colonisé » à faire de ce voile le signe de sa non-soumission.

L'indifférence à la porteuse du voile est confirmée par l'une des phrases les plus célèbres de Fanon : « c'est le blanc qui crée le nègre. Mais c'est le nègre qui crée la négritude. » Il l'explicite ainsi :

> *à l'offensive colonialiste autour du voile, le colonisé oppose le culte du voile. Ce qui était élément indifférencié dans un ensemble homogène, acquiert un caractère tabou, et l'attitude de telle Algérienne, en face du voile, sera constamment rapportée à son attitude globale en face de l'occupation étrangère.*

Si c'est le blanc qui crée le nègre, crée-t-il la négresse ? Une chose est sûre : elle n'aura pas part à la création de la négritude. Elle la subira. À l'offensive colonialiste autour du voile, c'est le colonisé qui oppose le culte du voile. Pas la colonisée. Aussi, telle Algérienne se dévoilant sera-t-elle accusée de succomber à l'offensive colonialiste, de trahir la cause du colonisé. Si Fanon inverse la perspective du colonisateur dans la perception du voile, on ne voit guère ce qui l'en distingue dans la posture de l'instrumentalisation. Le voile comme symbole politique dans la lutte de libération nationale, ainsi qu'il le voit, ne concerne qu'indirectement la femme qui le porte : il est le signe de sa conformité à la résistance anticoloniale dont elle n'est cependant pas une agente.

LE DÉVOILEMENT

Aussi, lorsque la guerre l'exigera, quand elle empruntera la forme de la lutte urbaine, des femmes devront se dévoiler pour mieux tromper les soldats de l'armée française qui les confondront avec des Européennes. Changement tactique, mais si étranger à celles qui l'incarnent que Fanon ne recule pas devant l'explication de le renvoyer à l'instinct. À l'instinct nationaliste, comme il se doit. Pour valoriser l'attitude des militantes algériennes, parce qu'algériennes, il ne dédaigne pas non plus éclabousser d'autres femmes. Ainsi :

> *Les observateurs, devant le succès extraordinaire de cette nouvelle forme de combat populaire, ont assimilé l'action des Algériennes à celle de certaines résistantes ou même d'agents secrets de services spécialisés. Il faut constamment avoir à l'esprit le fait que l'Algérienne engagée apprend à la fois d'instinct son rôle de « femme seule dans la rue » et sa mission révolutionnaire. La femme algérienne n'est pas un agent secret. C'est sans apprentissage, sans récits, sans histoire, qu'elle sort dans la rue, trois grenades dans son sac à main ou le rapport d'activité d'une zone dans*

> *son corsage. Il n'y a pas chez elle cette sen-*
> *sation de jouer un rôle lu maintes et maintes*
> *fois dans les romans, ou aperçu au cinéma. Il*
> *n'y a pas ce coefficient de jeu, d'imitation, pré-*
> *sent presque toujours dans cette forme d'ac-*
> *tion, quand on l'étudie chez une Occidentale.*

Afin de se faire bien comprendre, Fanon se fait même insistant :

> *ce n'est pas la mise à jour d'un personnage*
> *connu et mille fois fréquenté dans l'imagi-*
> *nation ou dans les récits. C'est une authentique*
> *naissance, à l'état pur, sans propédeutique. Il*
> *n'y a pas de personnage à imiter. Il y a au*
> *contraire une dramatisation intense, une*
> *absence de jour entre la femme et la révolu-*
> *tionnaire. La femme algérienne s'élève d'em-*
> *blée au niveau de la tragédie.*

Épinglons dans cette dernière phrase « la femme algérienne ». Longtemps, et sans doute jusqu'à mainte-nant encore, le substantif ne va pas sans le qualificatif, même lorsque le contexte indique clairement que c'est d'une ressortissante de ce pays dont on parle. Dans ce cas, c'est bien parce qu'elle est « algérienne » que la femme « s'élève d'emblée au rang de la tragédie ». Pour le faire saisir, Fanon se croit tenu d'afficher du mépris à l'égard des « résistantes occidentales ». Elles, elles jouent. Elles imitent. Des personnages romanes-ques ou cinématographiques. La « femme algérienne », elle, est « authentique ». On pourrait concéder à Fanon qu'il n'était pas conscient de la récupération à laquelle son discours allait prêter flanc. Dans les premières années de l'indépendance, quand il sera entériné que « la femme algérienne » n'a plus rien à revendiquer puisque son pays est indépendant, c'est l'imitation frivolisée (minijupe, jeans, cigarettes) de la « femme occidentale » qui sera stipendiée à l'encontre des jeunes femmes dévoilées.

Quant à la « femme algérienne », c'est une expression consacrée dans le discours postindépendance à usage interne. Ce n'est pas de l'être de sexe féminin dont il s'agit, mais de la femme-algérienne, comme si c'était l'adjectif qui donnait réalité au substantif. Cette manière de dire prend corps dans la vision fanonienne de la militante robotisée. Militante robotisée, puisqu'elle n'est pas conçue comme susceptible d'un engagement réfléchi, d'une autoréflexion sur son engagement « en tant que femme » dans la « révolution ». Elle est d'emblée élevée au niveau de la tragédie, car c'est le *fatum* qui préside à son action. Elle n'a aucune initiative, aucune prise sur le personnage qu'elle devient, elle ne se compose pas un personnage, elle éclôt à l'état brut[5]. Robot femellisée pour les besoins de la « Cause ». Totalement insensible. Insensibilisée. Ainsi que Fanon l'exprime sans ménagement :

> *Au cours de ces minutes interminables où il faut éviter de rester sur place car on attire l'attention, éviter de trop s'éloigner car on est responsable de la sécurité des frères de l'intérieur, il est fréquent de constater des scènes*

> tragi-comiques. Cette jeune Algérienne dévoi-
> lée qui «fait le trottoir» est très souvent
> remarquée par des jeunes qui se comportent
> comme tous les jeunes gens du monde, mais
> avec une teinte particulière, conséquence de
> l'idée qu'habituellement on se fait d'une
> dévoilée. Réflexions désagréables, obscènes,
> humiliantes. Quand de telles choses arrivent, il
> faut serrer les dents, faire quelques mètres,
> échapper aux passants qui attirent l'attention
> sur vous, qui donnent aux autres passants
> l'envie soit de faire comme eux, soit de prendre
> votre défense.

Quand Fanon « se met dans la peau » d'une jeune
Algérienne dévoilée, c'est pour mieux cautionner le
traitement « habituel » que, dans la rue, un homme est
en droit d'infliger à une femme, qui, parce que femme,
n'a pas à y être. Il ne lui reste, à elle, qu'à esquiver.
C'est ainsi qu'elle assume son sens de la responsabilité
qui lui vient, a-t-il été prétendu, de l'instinct. Instinct
« authentique », « à l'état pur », qui non seulement la
garde de se prendre pour une « résistante occidentale »
ou qui plus est pour une Mata Hari, mais qui la dresse
à couvrir le comportement machiste des « jeunes qui se
comportent comme tous les jeunes gens du monde ». À
elle de l'assumer, car elle n'ignore pas « l'idée qu'habi-
tuellement on se fait », dans sa communauté « d'une dévoilée » : une putain. Mais elle doit « serrer les dents » :
elle doit ne pas donner prise à l'attente colonialiste, elle
doit ne pas « bousculer l'homme algérien ».

Psychiatre à Blida, Fanon met encore son expertise à contribution pour dresser un tableau clinique de la militante dévoilée. Sous les apparences d'une sympathie compréhensive[6], son exposé n'échappe pas au fantasme du dévoilement – « l'Algérienne qui entre toute nue dans la ville européenne » – qui se donne à lire dans la littérature, la peinture et la photographie[7]. Littérature, peinture et photographie « coloniales ». Fanon se rappelle toutefois lui-même à l'ordre en prétendant qu'entrant toute nue dans la ville européenne, l'Algérienne réinstalle son corps « de façon révolutionnaire ». À entendre : « au service de la révolution », comme l'épisode du trottoir l'avait déjà suggéré. Il ne s'agit pas de laisser prise à un mode de subjectivation qu'expérimenterait la femme dévoilée. Son dévoilement l'objectivise « au service de la révolution ».

Dans une note, Fanon souligne le contraste entre l'avant-guerre et la révolution : alors, une femme ne sortait jamais non accompagnée, maintenant, elle remplit, seule, des missions pour la lutte ; alors, une femme n'était jamais, chez elle, en contact avec des étrangers, des non-familiers, maintenant, elle est amenée à prendre soin d'un militant qui a trouvé refuge dans sa maison. Mais ces bouleversements sont une fois encore moins évoqués du point de vue de la femme que du point de vue de son mari : « la vieille jalousie de l'Algérien, sa méfiance "congénitale" ont fondu au contact de la Révolution ». Autre illustration de ce que l'idéologie coloniale se trompe sur le compte de l'homme colonisé et de son prétendu machisme. Il n'est pas

impossible que Fanon croyait en cette transformation
de l'« Algérien » ; il n'est pas impossible qu'il
escomptait, après l'indépendance, une correction dans
l'asymétrie qui présidait aux rapports sociaux entre les
sexes. On peut d'autant plus lui laisser le bénéfice du
doute que son discours masculiniste ne plaçait pas la
barre très haute dans la transformation qu'aurait à
opérer l'« homme algérien ».

LE REVOILEMENT

Si le dévoilement a été utilisé comme une tactique
pour tromper l'ennemi, il fera bientôt place –
notamment après que les forces répressives françaises
aient été contraintes d'enregistrer que de « vraies »
Européennes soutenaient activement le FLN – au
revoilement. Tactique lui aussi. Toujours plus politico-
nationaliste après les journées autour du 13 mai 1958.
Journées d'insurrection des colons d'Algérie qui
aboutiront au retour de de Gaulle au pouvoir à Paris.
Journées au cours desquelles se multiplieront à Alger
des manifestations de « fraternisation » entre « ultras »,
partisans de l'Algérie-française, et « musulmans ». La
coercition des pieds-noirs à l'égard des colonisés
empruntera notamment le dévoilement de femmes
algériennes sur la place publique et des « feux de joie »
allumés avec ces voiles. Le FLN prétendra que les
femmes soumises à ce cirque étaient des prostituées. Ce
qui n'est pas à exclure. Là n'est pas l'important. Reste
qu'après le 13 mai 1958, le port du voile par les
femmes algériennes signifiait un non catégorique à

l'Algérie-française des ultras et des factieux. Des antidémocrates français. Ce qui n'a pas manqué de laisser des traces. Manipulables à souhait. Récupérées, alors, par les nationalistes algériens, sans qu'ils y soient pourtant à l'initiative. La croisade en France des républicanistes contre le « voile islamiste » depuis 1989 ne peut être déconnectée de cet épisode. Elle concerne peu les Algériens, les Algériennes et l'Algérie. Elle rassure le républicanisme franco-français.

La rationalisation qu'effectue Fanon des comportements des femmes en temps de guerre repose non sur une instrumentalisation du voile, mais sur une instrumentalisation de celle qui le porte ou non. Les femmes se voilent, se dévoilent ou se revoilent au gré des circonstances sur lesquelles elles n'ont pas prise, sur lesquelles il n'est pas prévu qu'elles aient prise. Reste que Fanon accorde une place significative aux femmes dans la « révolution ». Il en parle. Mohammed Harbi fait preuve de scepticisme à l'égard de la mise en évidence de la participation des femmes à la guerre pour l'indépendance :

> *c'est très ambigu de dire que les femmes ont participé à la révolution algérienne. Ce thème a surtout été exploité à l'intention de l'étranger et non des Algériens. On y voyait la preuve du caractère progressiste de la révolution algérienne, mais les comportements ne correspondaient pas à ce discours. Il n'y a jamais eu aucune femme dans les différentes instances du FLN[8].*

Tandis que Christiane Dufrancatel lui rappelle que *El Moudjahid*[9] faisait état de la participation active de maquisardes, Harbi persiste dans son point de vue :

> *au fur et à mesure que la guerre durait, il se produisait une radicalisation forcée, dans l'expression surtout, qui a depuis été assez bien cultivée par toutes les guérillas du monde. On laisse entendre qu'il existe une révolution profonde, que le symbole de cette révolution profonde c'est la femme autrefois tenue en laisse et maintenant libérée par sa participation à la résistance, etc. De ce point de vue la révolution algérienne a été un modèle, elle a ouvert la voie au trucage progressiste.*

Harbi n'a pas tort de souligner le trucage à « usage externe ». Il est d'autant plus remarquable qu'il prend place à la fin des années 1950 et au tout début des années 1960, soit une dizaine d'années avant le mouvement néoféministe. Pourquoi, tandis que les femmes françaises, par exemple, étaient encore loin de disposer de la plénitude des droits civils – sans que les progressistes français ne s'en émeuvent outre mesure –, est-il alors si important de faire valoir la participation des femmes à la « révolution » algérienne ? La question mériterait d'être creusée. D'autant plus qu'aujourd'hui encore, nombre de ceux qui érigent les femmes algériennes en égéries de la démocratie s'opposent à la revendication de la parité politique dans leur pays.

Mais le trucage fonctionne aussi à « usage interne ». Le discours fanonien qui assimile Algérie et

Algérienne – « L'Algérie se dévoile » – aura pour conséquence qu'avec l'achèvement de la guerre de libération nationale, avec l'accès de l'Algérie à l'indépendance, il sera entendu que l'Algérienne n'a plus rien à revendiquer. Notamment pour elle. En effet, dès 1959, *El Moudjahid* écrivait : « l'Algérienne n'attend pas d'être émancipée, elle est déjà libre parce qu'elle participe à la libération du pays ». Déjà libre avant la libération du pays, elle n'aura plus lieu de revendiquer son émancipation. Émancipation des femmes qui ne peut être que leur œuvre propre. Ce qui suppose notamment l'existence d'un espace politique au sein duquel la revendiquer. Elle est court-circuitée, dès avant l'indépendance, par l'assimilation de l'Algérienne et de l'Algérie qui illustre, à sa façon, et pour le malheur des femmes, l'absence de médiation entre le corps et le sujet politique. Le chapitre suivant tentera d'illustrer comment le caractère non avenu de l'émancipation des femmes va figer la construction de l'Algérie indépendante dans le mode de la communauté et l'empêcher d'accéder au mode de la société.

3

UN ÉTAT NON FONDÉ

La non-fondation politique de l'État algérien est l'aspect qui me paraît le plus déterminant dans l'actuelle guerre contre les civils : les Algériens et les Algériennes sont massacrés parce qu'ils ne sont pas constitués en sujets politiques. Cette non-constitution des Algériens et des Algériennes en sujets politiques se donnent clairement à lire dans l'avènement de la promulgation du *Code de la famille* en 1984. À ce moment, l'appareil bureaucratique qui fait office d'État a jeté l'éponge devant la difficulté que constitue l'arrimage de l'individu à la société par l'institution d'un état civil dont l'État est le garant ; il a démissionné face au communautaire.

Tenter de démontrer cette proposition constituera l'aspect principal de ce chapitre. On verra qu'il s'agit moins de prendre fait et cause « pour les femmes algériennes » – que la promulgation de ce Code inique institue en mineures à vie –, au nom d'une solidarité féministe de bonne aloi, que de comprendre comment cette institution-là (femmes en tant que mineures à vie) est la résultante de l'incapacité de l'État algérien à se constituer en garant du vivre en commun sociétal. Le problème dépasse donc largement le statut des femmes et il ne sera pas résolu par l'abolition de ce Code. Restera entière la question de la constitution du sujet. Qu'il soit de sexe féminin ou de sexe masculin. Que ce soit à propos du statut des femmes que les tâtonnements qui entourent l'institution de l'État comme le garant du vivre en commun se donnent le moins malaisément à déchiffrer résulterait assez logiquement de l'héritage colonial et du « trucage progressiste » auquel s'est adonnée la « révolution algérienne ».

On l'a vu dans le premier chapitre : en faisant de la renonciation au statut personnel qu'elle tolérait, tout en en méprisant ses fondements, la condition pour accéder à la citoyenneté française, la France a figé la gestion des questions généalogiques, de l'institution familiale, en dehors de l'enceinte de la loi commune. En décrétant que les Algériens « musulmans » étaient « français » à la suite du hasard qui les avaient fait naître dans un département annexé à la métropole, mais n'étaient pas citoyens de la République, la colonisation a dénié l'arrimage de la transmission au pouvoir d'État, à l'état civil. Les « indigènes », les « musulmans » étaient gouvernés sur le mode de la communauté. Leur appartenance ethnique – même si elle était formellement estampillée du label « français » – était perçue et vécue comme une donnée immédiate. Ils n'étaient pas gouvernés sous le mode de la société ou de la nation, comme produit d'une rupture avec le donné. Pour ces colonisés de la République française, les lois qui présidaient à la transmission, à la construction de l'être-parlant, émanaient du communautaire. Ils y étaient englués.

Cette manière de faire reposait, on l'a également souligné dans le premier chapitre, sur la concession faite aux hommes colonisés – la seule – qu'ils pouvaient continuer à dominer les femmes colonisées. Le « trucage progressiste » auquel s'adonne la « révolution algérienne » non seulement ne corrige pas cette situation, les femmes sont construites sur le mode de la domination – par les hommes ou par la révolution –, mais, qui plus est, ne parvient pas à en tirer parti, à stabiliser ce statut imposé aux femmes. Cette incapacité se donne à voir dans les tergiversations qui entourent pendant plus de 20 ans la promulgation du *Code de la famille*. J'y reviendrai longuement. D'autres indices méritent pourtant d'être repérés en ce qu'ils campent le décor dans lequel prennent place ces tergiversations. J'insisterai sur le dénouage entre la scolarisation des filles et la salarisation des femmes qui illustre la contradiction dans lequel s'enferme le régime algérien. Il fait alors appel à la morale exclusive du politique. Aussi est valorisé la « promotion de la femme » qui fait l'impasse sur son émancipation.

« LA PROMOTION DE LA FEMME ALGÉRIENNE »

D'un côté, le régime promeut la scolarisation des filles. En 1962, plus de 95 % des Algériennes sont analphabètes. Dans la seconde moitié des années 1970, près de 30 % de la population étudiante universitaire sont des jeunes filles. De l'autre côté, la participation des femmes à la « population active[1] » est l'une des plus basses, sinon la plus basse du monde[2]. Cette contradiction entre l'effort de scolarisation qui touche les filles et la non-insertion des femmes sur le marché de l'emploi est occultée par une référence grossière à la morale qui en dit long sur les difficultés non affrontées de la construction de l'identité « citoyennetaire » dans l'Algérie indépendante.

Dans une allocution prononcée lors de la distribution des prix dans un lycée de jeunes filles à Kouba (Alger), le 3 juillet 1969, Boumediene, s'adressant donc à l'« élite féminine », propose : « l'avenir de la nation repose en premier lieu sur cette génération montante : filles qui seront demain les meilleures mères et jeunes garçons qui deviendront des hommes forts prêts à assumer vis-à-vis de l'État et de la Nation toutes leurs responsabilités[3] ».

Cette construction des rapports sociaux entre les sexes repose sur des considérations moins sociologiques que morales. Au fil du temps, les impératifs du développement intégreront les filles diplômées parmi les cadres de gestion, de direction et d'encadrement, tandis que les femmes non diplômées du secondaire et de l'universitaire resteront extrêmement minoritaires dans les emplois non qualifiés. Cette promotion sociale des femmes « par le haut » restera pourtant largement « invisibilisée » dans le discours. La participation des femmes à la production ne sera jamais exaltée. Son exaltation porterait ombrage à l'assignation des « hommes forts prêts à assumer vis-à-vis de l'État et de la Nation toutes leurs responsabilités » alors qu'ils ne sont pas des citoyens.

La destination des jeunes bachelières consiste à devenir « les meilleures mères ». Toujours lors de l'allocution prononcée dans ce lycée de jeunes filles en 1969, Boumediene en fixait les paramètres : « Confiant en la fille algérienne, nous sommes persuadés qu'elle saura tout à la fois suivre la voie qui mène au véritable progrès et sauvegarder les principes moraux qui régissent notre société arabo-islamique[4]. »

Quand la notion de progrès est utilisée à propos des femmes, ce progrès se doit toujours d'être « véritable ». Elle est éclairée par une allocution précédente de Boumediene, elle aussi adressée aux femmes, lors du 8 mars[5], en 1966 :

> […] *lorsqu'on parle des droits de la femme et du rôle qu'elle doit jouer dans les domaines politique, économique et social, nous ne devons pas perdre de vue l'évolution de la femme ; cette évolution ne signifie nullement l'imitation de la femme occidentale. Nous disons non à ce genre d'évolution car notre société est une société islamique et socialiste. À ce propos, un problème se pose, il s'agit du respect de la morale. Nous sommes pour l'évolution et le progrès, pour que la femme joue un rôle dans tous les domaines, tant sur le plan politique, économique, social et culturel que technique mais cette évolution ne doit pas être la cause du pourrissement de notre société[6].*

On aurait tort de conclure trop rapidement de ces déclarations de Boumediene qu'elles constituent des gages donnés dès les années 1960 aux « conservateurs » islamiques. Ainsi que le remarque Deheuvels,

« la moralisation, malgré ses buts déclarés, ne traduit pas tant un retour à un rigorisme moral garanti par la tradition, qu'un souci de pousser la société à s'ouvrir sur l'État moderne, jusqu'à s'identifier avec lui[7] ». Identification qui requiert un aménagement de la famille en tant que « cellule constitutive de la Nation ». Dans la fabrication de cette « cellule constitutive », les femmes sont appelées à jouer un rôle majeur. Il est largement exclusif de leur participation au marché de l'emploi. Dans une sous-section intitulée « le travail non seulement un droit mais aussi un devoir et un honneur », au sein de la section consacrée aux « principes fondamentaux de l'édification du socialisme », la *Charte nationale* (1976) n'omet pas une allusion aux femmes. Elle est ainsi formulée : « Partant du principe de l'égalité des sexes, le socialisme qui reconnaît la place essentielle qu'elle occupe dans la cellule familiale en tant que mère, épouse et citoyenne, encourage la femme, dans l'intérêt de la société, à occuper un poste de travail. »

L'incongruité de la présence de la citoyenne dans la cellule familiale illustre spontanément combien ce terme est vide de sens. J'y reviens. Mais sa présence indique pourtant une rupture avec la « tradition » et une ouverture vers la « modernité ». Modernité qui, dans son couplage avec l'« éthique dont notre peuple est profondément imprégné », ne s'énonce qu'à propos des femmes. Avec le garde-fou trivialement incarné par l'interdit de l'imitation de « la femme occidentale ». À propos des hommes, c'est moins de modernité que de modernisation qu'il s'agit. Modernisation couplée avec le développement économique, avec « les tâches d'édification nationale ».

Hélène Vandevelde, professeure à l'Université d'Alger, soutenait, dans sa thèse d'État déposée en 1972, que l'idée selon laquelle la femme doit être la gardienne des valeurs arabo-musulmanes tend à prendre de plus en plus le pas sur celle de la nécessaire participation à l'édification du pays. Examinant le sens accordé par des hommes et des femmes, qu'elle a interrogés, aux trois mots-clés de l'idéologie officielle du moment – Révolution, Socialisme et Arabo-islamisme[8] –, elle conclut :

> *Ainsi une discrimination à l'égard de la population féminine apparaît dans l'idéologie qui n'a pas encore admis une nouvelle idée de la femme. Les transformations économiques, sociales et aussi culturelles en cours n'ont pas encore permis l'élaboration de nouvelles représentations concernant la femme. Au contraire, il semble que plus la volonté de renouvellement est radicale dans certains domaines, plus la femme doit être enracinée dans la tradition : la société, fragilisée par les mutations dont elle est l'objet, s'accroche à ses principes de permanence et de continuité[9].*

Le spectre des « mentalités rétrogrades » n'est pas loin. Il est alimenté par la manière dont le discours étatique entrevoit « la promotion de la femme algérienne ». Elle fait l'objet, dans la *Charte nationale*

(1976), d'une section dans le chapitre consacré à la « Révolution Culturelle[10] » tandis que l'Algérie est également engagée dans une « Révolution Agraire » et dans une « Révolution Industrielle ». Prenons-en intégralement connaissance :

> *La condition de la femme, que l'éthique féodaliste et des traditions contraires à l'esprit émancipateur de l'Islam ont longtemps ravalée à un rang injuste dans la société algérienne avec, pour corollaires, la restriction de ses droits, des attitudes discriminatoires à son égard, l'ignorance et des tâches plus ou moins pénibles selon le milieu social, s'est beaucoup améliorée depuis la guerre de libération nationale. Il n'en demeure pas moins que sa promotion légitime exige encore des efforts constants et des initiatives courageuses. Cette promotion, loin d'être subordonnée au rôle patriotique et social que la femme a joué aux côtés de ses compagnons d'armes, est à la fois un impératif de l'esprit de justice et d'équité, une exigence dictée par la dialectique du progrès, de la démocratie et de l'édification harmonieuse du pays, une implication absolue de son statut de citoyenne dans une Algérie libre, révolutionnaire et socialiste. Dans l'amélioration du sort de la femme doivent intervenir des actions qui viseront, avant tout, à transformer une sorte d'environnement mental et juridique négatif et parfois préjudiciable à l'exercice de ses droits reconnus d'épouse et de mère[11], et à sa sécurité*

> *matérielle et morale. Ainsi, il devra être mis un*
> *terme à la pratique de la dot exorbitante et*
> *ruineuse*[12]*, à l'abandon par des maris peu*
> *scrupuleux d'enfants laissés à leurs mères dé-*
> *munies de ressources, à l'enlèvement injustifié*
> *d'enfants arrachés à l'affection maternelle,*
> *aux divorces non motivés et sans garanties de*
> *pension ni de soins, aux violences exercées*
> *impunément par une catégorie d'éléments anti-*
> *sociaux. Quoi qu'il en soit, c'est encore la*
> *femme qui reste le meilleur défenseur de ses*
> *propres droits et de sa dignité, tant par son*
> *comportement et ses qualités, que par une lutte*
> *inlassable contre les préjugés, les injustices et*
> *les humiliations. L'État, qui lui a déjà reconnu*
> *tous les droits politiques, est engagé au service*
> *de l'éducation et de la promotion inéluctable*
> *de la femme algérienne.*

Cette référence à la reconnaissance de « tous les droits politiques » par l'État à « la femme algérienne » permettra que se répande dès lors dans le discours officiel l'expression « citoyenne à part entière » pour désigner « la femme ». En préface aux *Actes des journées d'études et de réflexion sur les femmes algériennes*[13] qui se sont déroulées à Oran en mai 1980, sous le titre « Faut-il faire la chasse aux mythes ? », Hélène Vandevelde écrit :

> *Au vu de la situation, la constatation s'impose*
> *que considérer les Algériennes comme ci-*
> *toyennes à part entière est un mythe : la*

> *représentation féminine demeure extrêmement*
> *faible et la possibilité de participer concrète-*
> *ment à la vie de la Cité leur est interdite en*
> *pratique.*

Cette remarque ne souffre aucune contestation. Je m'emploierai pourtant à montrer comment cette mythification est commandée par la difficulté de positionner les femmes dans l'État algérien. Difficulté qui jette le soupçon sur la fondation de cet État. Soupçon alimenté par les tergiversations autour du *Code de la famille,* puis de sa promulgation en 1984. Avant d'y venir, il faut encore souligner que « la promotion de la femme algérienne » est essentiellement présentée comme si elle tenait à des corrections à apporter aux statuts de mère et d'épouse : « la femme algérienne » *est* une mère et une épouse. Mais il faut surtout retenir que c'est de sa « promotion » qu'il s'agit. L'utilisation de ce terme est censée illustrer les progrès accomplis depuis l'indépendance. On se souvient de la sentence d'*El Moudjahid* en 1959 : « L'Algérienne n'attend pas d'être émancipée, elle est déjà libre parce qu'elle participe à la libération du pays. » La fuite en avant trouve ici à s'exprimer sous la « promotion ». D'« émancipation », il n'en aura donc jamais été question. Ce qui n'est guère étonnant si l'on transpose ce que Marx écrivait, dans le préambule des *Statuts de l'Internationale* (1864), des travailleurs aux femmes : « L'émancipation des travailleurs sera l'œuvre des travailleurs eux-mêmes. » Commentant ce passage à propos de la proposition révolutionnaire de 1789 – « les hommes naissent libres et égaux en droits », Étienne Balibar écrit et souligne :

> *nul(le) ne peut être libéré ni promu à l'égalité – disons être émancipé – par une décision extérieure, unilatérale, ou par une grâce supérieure, mais seulement de façon réciproque, par une reconnaissance mutuelle. Les droits qui forment le contenu de l'égale liberté et la matérialisent sont par définition des droits individuels, des droits des personnes. Mais ne pouvant être octroyés, ils doivent être conquis, et ils ne se conquièrent que collectivement. Leur essence est d'être des droits que les individus se confèrent, se garantissent les uns les autres*[14].

Non seulement n'est-il pas question alors en Algérie que « l'émancipation des femmes » soit « l'œuvre des femmes elles-mêmes » : « l'État » y pourvoit. Mais « l'émancipation des femmes » supposerait aussi « l'émancipation des hommes ». Pas plus que la première, celle-ci n'est à l'ordre du jour. Les hommes ont à « assumer vis-à-vis de l'État et de la Nation toutes leurs responsabilités » sans que pour autant soit reconnue une autonomie de la politique, sans que pour autant eux soient reconnus comme citoyens[15]. Dans leurs rapports aux femmes, ils sont stigmatisés comme de mauvais pères et de méchants maris.

Bien que parée du titre de « citoyenne », la femme est une monade quand il lui est rappelé qu'elle « reste le meilleur défenseur de ses propres droits et de sa dignité, tant par son comportement et ses qualités, que par la lutte inlassable contre les préjugés, les injustices et les humiliations ». Elle n'est pas différente de la militante qui faisait « le trottoir » dans le récit de Fanon[16].

« GARDIENNE DES VALEURS
ARABO-MUSULMANES »
ET « CITOYENNE À PART ENTIÈRE »

L'État bureaucratique algérien s'est structuré en segmentant « le peuple » en corps ou en catégories. Chacune de ces catégories est appelée à définir ses intérêts dans une « organisation de masse ». Le peuple, composé de la juxtaposition de ces organisations de masse, est posé comme sujet qui interpelle l'État et que l'État interpelle. Il n'y a pas d'intérêts particuliers qui s'opposent à l'intérêt général[17]. Autrement dit, il n'y a pas de société civile distincte de l'État. Il n'y a pas un espace public organisé comme un lieu où pourraient s'affronter les groupes et les intérêts particuliers et où les conflits pourraient être gérés. Il n'y a pas de conflits au sein du peuple qui, raconte-t-on alors, s'est unanimement battu, sous la houlette du FLN et de son armée, pour arracher son indépendance à la métropole coloniale. Sans compter que ce qui constitue la « spécificité » du socialisme algérien, c'est qu'il n'est pas traversé par la lutte des classes.

Dans ce récit consensualiste, les catégories qui composent le peuple sont monosexuées. Il y a les catégories composées d'êtres de sexe masculin. Eux sont interpellés comme travailleurs, ou comme paysans, ou comme jeunes, c'est-à-dire comme étudiants universitaires, ou encore comme anciens combattants de la guerre pour l'indépendance. Ces catégories masculines encadrées dans leurs organisations de masse[18] sont chargées d'œuvrer aux « tâches d'édification nationale ». C'est cette injonction qui les fait figurer dans l'espace public. Avec les appelés du contingent, ces catégories constituent les « forces vives de la Nation ». Quant aux êtres de sexe féminin, jamais interpellés dans le discours comme travailleuses, paysannes, jeunes (étudiantes) et si rarement comme anciennes *moudjahidate*, leur revient de remplir le rôle de mères et d'épouses dans « la construction et la consolidation du foyer familial, qui forme la cellule constitutive de la Nation ».

Ces catégories sont monosexuées en ce que seuls des hommes répondent à la dénomination « travailleurs », « paysans », « jeunes » ou « anciens combattants », tandis que les femmes sont les seules à être interpellées comme « épouses-et-mères », ce qui peut spontanément sembler aller de soi, mais encore à être désignées comme « citoyennes ». « À part entière », qui plus est, comme si un doute persistait.

Les hommes, répartis dans quatre organisations de masse qui ont un poids[19], sont appelés « frères[20] », quand il s'agit de faire appel au sentiment national. Les femmes sont, elles, confinées dans une seule organisation de masse – l'Union nationale des femmes algériennes (UNFA) – qui, dès 1969, est définitivement vidée de toute substance et n'est prise au sérieux ni par le régime ni par les femmes[21]. Imputer son manque de consistance à l'androcentrisme ambiant et combien prégnant n'explique pas tout. Quel pourrait être le principe de légitimation d'une organisation de masse de femmes dans cette mise en scène du peuple algérien ?

Pour les hommes, au-delà de la fraternité, le travail constitue ce principe pour les travailleurs et les paysans destinés à remporter la « bataille pour la production » ; la fréquentation de l'université qui les prépare à participer à la « révolution scientifique et technique » constitue ce principe pour les étudiants tandis que la participation à la lutte de libération légitimise l'organisation de masse des *moudjahidine*. Comment le foyer pourrait-il être mis sur le même pied afin de donner une crédibilité comparable à l'UNFA ? D'autant que, même si elles sont « invisibilisées », il y a des travailleuses, des paysannes, des étudiantes et des anciennes combattantes. L'UNFA doit donc tenter la quadrature du cercle : elle doit, d'une part, éviter d'entrer en concurrence avec les autres organisations de masse qui, elles, sont étanches et, d'autre part, s'appuyer sur un principe de structuration qui ne relève pas du public (le foyer). L'étonnant est moins dans le manque de substance de l'UNFA que dans son existence même. Elle indique que les femmes ne sont pas totalement négligées dans la mise en scène du peuple. L'UNFA n'est cependant pas une organisation de masse « comme les autres ». Elle n'est pas appelée à promouvoir l'intérêt des femmes dans la perspective de l'intérêt général bien compris.

Aussi ce qui peut être tenu pour des « problèmes de femmes » ne relève-t-il pas de sa compétence. Ils sont renvoyés à des experts : à des juristes (*Code de la famille*), à des médecins (planification des naissances) et, pour le reste, y compris l'emploi salarié, à des « éthiciens[22] ». Lors du quatrième Congrès de l'UNFA, à l'automne 1978, Yahiaoui qui remplace Boumediene agonisant, rappelle à ses membres, avec une rare franchise, les limites à ne pas franchir : « ce genre de préoccupations – la revendication de la liberté, de l'égalité des salaires et dans le travail, ainsi que la discussion en commun de problèmes tels que le divorce, le mariage ou la participation à l'action politique – qui prévalent dans le monde capitaliste découlent en réalité d'attitudes bourgeoises dénuées de toute dimension sociale, et procèdent de l'individualisme et de l'égoïsme[23]. »

Devant le même auditoire composé majoritairement de femmes, concernant le *Code de la famille* toujours en gestation, il appelle l'UNFA à

> *avancer des propositions constructives qui préserveront l'existence de la famille et les traditions de la société. Sans oublier une question essentielle qui doit sous-tendre toute proposition : le respect de nos traditions arabo-musulmanes. Le Président Houari Boumediene l'avait souligné dans son discours prononcé le 1er avril 1974 devant le 3e Congrès en déclarant : « Quand nous parlons de propositions, n'oublions pas que nous sommes un*

*peuple arabo-musulman. C'est là un élément à
prendre en considération dès que nous évo-
quons le* Code de la famille. *L'Islam n'est pas
cette explication qu'avancent certains réac-
tionnaires qui s'arrêtent au verset "Dieu nous
a créés inégaux en biens" pour n'en retenir
que le sens superficiel. L'Islam est avant tout
une religion révolutionnaire, qui a libéré la
société, l'homme et la femme »*[24].

Les « valeurs arabo-musulmanes », dont les
femmes doivent être les « gardiennes », sont alors cen-
sées s'harmoniser avec le socialisme spécifique[25]. Les
femmes incarnent alors la volonté d'étatiser le religieux. Cette étatisation du religieux n'emprunte pas
seulement la fonctionnarisation des imams – il s'agit là
encore d'un legs colonial, comme on l'a vu dans le
premier chapitre. Elle vise à peaufiner la récupération
de l'identité nationale : prendre acte du rôle de l'islam
comme âme de la résistance à la colonisation et le
mettre dorénavant au service du développement. Les
femmes occupent une place privilégiée dans cette
entreprise : elles médiatisent le passage entre le passé
de résistance et l'avenir du développement. Quitte à ce
que leur présent reste largement marqué par la
subordination. Ce qui met de l'huile dans les rouages :
les hommes appelés à se consacrer aux « tâches
d'édification nationale », à poursuivre la « bataille du
développement », seront d'autant plus enclins à y
répondre que leur autorité reste incontestée dans les
rapports entre les sexes. Il ne faut pourtant pas négliger

le fait que la « promotion de la femme algérienne » est aussi placée sous l'égide de la justice et de l'égalité qu'un islam « bien compris » est censé propager.

Cet aspect est important pour comprendre la suite des événements. Il n'est pas faux d'affirmer que la religion est politiquement utilisée en Algérie depuis l'indépendance – et on devrait garder à l'esprit que c'était même le cas de la part de la puissance coloniale, y compris en ses plus belles heures de république laïque. Il faudrait pourtant moins en conclure rétrospectivement à une volonté de promouvoir la religion au détriment de la « révolution sociale » que profiter de l'occasion pour saisir la facilité avec laquelle les « islamistes » ont pu convaincre bon nombre d'Algériens et d'Algériennes que leur mouvement renouait avec les « idéaux de novembre » (1954), qu'après la phase « libérale » de Chadli qui aboutit au milieu des années 1980 à une détérioration des conditions quotidiennes de vie, il fallait en revenir à un « Islam militant, austère, mû par le sens de la justice et de l'égalité », tel que célébré par le régime de Boumediene.

Quand les femmes, sous ce régime, sont désignées à la fois comme « gardiennes des valeurs arabo-musulmanes » et « citoyennes à part entière », c'est du côté de ces valeurs-là (justice et égalité) qu'elles sont tirées. C'est ce qui démarque le discours étatique boumedieniste – mais cette option était déjà présente dans le *Programme de Tripoli* (1962) et avec plus de force encore dans la *Charte d'Alger* (1964) – de l'« idéologie

rétrograde » imputée aux « féodaux » et autres conservateurs religieux. « Idéologie rétrograde » notamment
caractérisée par ce qu'elle se conforte de l'inégalité
entre les femmes et les hommes. En 1976, au moment
de la discussion de la *Charte nationale*, la lutte idéologique contre les « mentalités arriérées » – qui, dit-on
alors, « manipulent » l'islam « contre le progrès » –
n'est pas terminée. Mais c'est toujours en tant que
mères et épouses que les femmes sont investies de la
mission de les faire reculer.

Il faut dire que le régime ne risquait pas, sur ce
point non plus, de se faire doubler sur sa gauche par la
seule opposition qu'il tolérait, celle du Parti de l'avant-
garde socialiste (PAGS), le Parti communiste algérien
rebaptisé. Ainsi, dans une brochure diffusée à l'occasion du 8 mars en 1974, ce parti invite l'UNFA et les
syndicats à veiller à l'amélioration des conditions de
transport des travailleuses. Il le justifie ainsi :

> *en plus des conditions éprouvantes et des*
> *raisons de sécurité, les travailleuses doivent*
> *gagner le maximum de temps pour préparer les*
> *repas, faire le ménage, s'occuper des enfants et*
> *aussi pour militer au sein de l'UNFA et des*
> *syndicats, avoir des activités culturelles et*
> *politiques*[26].

On peut raisonnablement supputer que s'il avait été
au pouvoir, le PAGS n'aurait pas reculé devant l'effort
de décréter une journée de 48 heures pour les femmes.
Mais, « clandestin », à la « gauche » du FLN, il se

contente de promouvoir, en une langue de bois[27] qui n'a rien à envier à celle du régime, l'« entrisme » dans l'UNFA, tout en appelant ces futures militantes à un réalisme de bon aloi :

> *l'UNFA se doit certes de faire connaître leurs droits juridiques aux femmes, de les informer et de lutter pour une solution juste aux problèmes qui pourraient lui [sic] être posés. Mais il serait irréaliste d'avancer comme mot d'ordre prioritaire la revendication d'une législation qui serait trop en avance par rapport à la situation de notre société et détachée des autres objectifs nationaux et sociaux. D'autant plus que les forces réactionnaires, déjà sur la brèche à propos du problème des femmes, ne demanderaient pas mieux que de s'emparer d'un problème qui, objectivement, serait une diversion par rapport à des tâches comme la RA [Révolution agraire], la nouvelle organisation des entreprises, la réalisation du Plan Quadriennal, qui créent les conditions fondamentales non seulement pour l'édification économique du pays mais aussi pour la satisfaction des revendications particulières des femmes[28].*

Fouetté par une opposition aussi musclée, il n'est guère étonnant que le régime fasse l'impasse sur les « acquis » – alors qu'il n'est jamais avare de surenchère à cet égard – à propos de la scolarisation des filles. La politique menée en ce domaine hisse en effet la

scolarisation des filles algériennes à un niveau comparable à celui du voisin tunisien, qui se targue d'une
option « féministe », et nettement supérieur à celui du
voisin marocain. Si cette politique est menée « dans la
réalité », elle n'est pas utilisée comme argument sur le
plan du discours. Ce silence conforte l'hypothèse que
les femmes constituent un pion important dans
l'entreprise d'étatisation du religieux. Elles constituent
un enjeu contre les « mentalités rétrogrades ». Les
scolariser est susceptible de les faire reculer. Mais il ne
faudrait pas que les femmes en tirent parti pour elles-
mêmes. Au risque de déstabiliser l'édifice dans lequel
les hommes ne sont pas des citoyens actifs, n'ont pas à
l'être pour qu'il se maintienne. Leur silence dans
l'espace politique est acheté par la considération que
l'État bureaucratique leur accorde en tant que travailleurs, paysans, étudiants ou anciens combattants. Les
femmes, elles, peuvent être désignées comme « citoyennes à part entière », puisqu'il n'y a pas d'institutions où exercer la citoyenneté. Cette désignation peut
être tenue pour un gage accordé aux hommes : les
femmes sont désignées d'un terme qui ne les concerne
pas, mais cela n'a pas d'importance puisque ce terme
est sans fondement. Cette ruse, si ruse il y a, est toutefois périlleuse. En effet, un terme sans réelle consistance, mais auquel il faut pourtant avoir recours,
postule qu'il y aurait une doublure publique au rôle
privé de mère et d'épouse. Cela ne tombera pas dans
l'oreille de sourdes.

LA PROMULGATION DU *CODE DE LA FAMILLE*

Mais, en 1976, au moment de la ratification de la *Charte nationale*, et cela dure depuis l'indépendance, le rôle privé de mère et d'épouse, en l'absence de la formulation d'une loi régissant les rapports familiaux[29], n'est pas arrimé au vivre-en-commun. Aujourd'hui, on continue à s'élever, à juste titre, contre la version inique qui a été promulguée en 1984. On oublie le plus souvent que pendant plus de 20 ans, quatre ou cinq versions d'un « avant-projet » de *Code de la famille* avaient circulé. Le même scénario s'est chaque fois répété : après avoir circulé plus ou moins clandestinement, l'avant-projet était retiré, apparemment, sous la pression de femmes qui en dénonçaient le « caractère rétrograde », incompatible avec un islam mâtiné de socialisme[30]. Mais, il faut aussi retenir que chaque fois l'avant-projet était retiré par le régime qui l'avait fait circuler. Il y trouvait son compte : il faisait mine de s'incliner devant les critiques des « progressistes », et qui plus est, de « femmes progressistes », et dans le même temps, il donnait satisfaction à ceux qui jugeaient la mouture de l'avant-projet « trop progressiste ». Cette valse-hésitation a commencé sous Ben Bella au lendemain de l'indépendance et elle a duré jusqu'au début des années 1980. Des femmes et des « progressistes » sont parvenus à faire reculer le régime de Chadli sur l'avant-dernière version, mais la version promulguée a finalement donné satisfaction aux plus conservateurs. Il s'agit de la version la plus

« conservatrice » de toutes celles qui ont circulé pendant plus de deux décennies. Rappelons pour mémoire que le Code de 1984 a été voté par une Assemblée nationale qui ne comptait aucun « élu » se revendiquant de l'« islamisme ».

La formule « citoyenne à part entière », avec toutes les réserves qui ont été apportées précédemment, indiquait sans doute aussi la volonté d'une partie des idéologues du régime de ne pas brimer toute velléité d'individuation pour les femmes. Toutefois, même si l'on enregistre cet aspect, cette formule reste creuse aussi parce que, dans le même temps, le régime ne parvient pas à énoncer un ensemble de règles qui président aux relations entre Algériens[31]. Notamment dans les rapports familiaux qui sont laissés à des bribes du droit musulman plus ou moins libéralement interprétés par des juges. Il faut ici enregistrer que si le régime ne parvient pas à codifier les rapports familiaux, il s'est promptement exécuté pour élaborer un *Code de la nationalité* (1963). Je ne critiquerai pas ici le principe hautement discutable sur lequel il repose – « le mot "algérien" en matière de nationalité d'origine s'entend de toute personne dont au moins deux ascendants en ligne paternelle étaient nés en Algérie et y jouissaient du statut musulman » –, je me contenterai de souligner l'écart entre la nationalité « clairement » définie et l'embrouillamini qui préside à la gestion de l'institution familiale. Il reproduit, autrement, la situation coloniale (voir premier chapitre).

Au regard des questions généalogiques, au regard des montages qui permettent l'institution du sujet, la loi étatique ne se formule pas, elle ne trouve pas les mots pour se dire. Et cela, alors que la loi « traditionnelle », religieuse ou coutumière, n'est pas non plus légitimée. Le mouvement des oulémas dans les années 1930 contre l'« islam populaire », celui des saints, des marabouts et des pèlerinages, stigmatisé comme suppôt du colonialisme, a ouvert la voie à cette délégitimation de la loi « traditionnelle » – et pas seulement à l'égard des rapports familiaux[32]. Avec l'indépendance – mais le terrain avait été préparé par la puissance coloniale laïque, on ne le répétera jamais assez –, les imams et les autres docteurs de la foi[33] deviennent des fonctionnaires soupçonnés d'être les porte-voix du régime. Et, pour ajouter à la confusion, au fil du temps, la loi « religieuse » est moins que jamais univoque, mono-interprétée. La diffusion de la scolarisation va avoir un effet sans doute imprévu par ses promoteurs : de plus en plus de personnes accèdent à la lecture des textes sacrés. Et chacun peut, à la limite, en l'absence d'un clergé établi en islam sunnite, s'instaurer interprète de la loi. C'est de cette fragmentation extrême que surgiront, dans la seconde moitié des années 1980, des imams « révolutionnaires » – dont Ali Benhadj, qui deviendra le coleader du FIS, est la figure de proue.

Le lien entre le *Code de la famille* et la citoyenneté, ou, plus précisément, le lien entre la non-promulgation du *Code de la famille* jusqu'en 1984 et la tombée en quenouille de la citoyenneté ne s'éclaire que si l'on prend en compte l'héritage colonial : à l'égard de ses colonisés algériens, par le biais de l'instrumentalisation du statut personnel dans le but de les exclure de la citoyenneté, l'État français a dénié l'arrimage de la transmission au pouvoir d'État, à l'état civil. Pour les « musulmans », les lois qui présidaient à la transmission, à la construction de l'être-parlant, émanaient du communautaire. C'est de cela qu'hérite l'Algérie indépendante.

Les tergiversations autour de la promulgation d'un *Code de la famille* illustrent que l'État algérien indépendant n'est pas à même de prendre en charge cet aspect redoutable. Il se contente de se substituer à l'État français colonial. Plutôt que de se lancer dans une « entreprise civique de construction sociale[34] », dans un projet qui suppose des montages afin que soit représentable la reconnaissance abstraite des individus, l'État algérien indépendant renoue concrètement avec un projet de communauté dans lequel, par la force des choses, c'est-à-dire par la force de l'héritage colonial, l'islam et la langue arabe (qui est aussi la langue du Coran) jouent un rôle moteur dans la représentation de la nation. Ce projet communautaire ainsi fixé permet de faire l'impasse sur tout « dissensus » – j'y reviendrai dans le chapitre suivant – et, dès lors, sur les conditions à réunir pour l'élaboration d'un vivre-en-commun. Impasse sur la fragmentation ethnolinguistique : la « question berbère » n'a pas à être posée ; elle n'en est pas une, elle n'a donc pas à être gérée. Impasse sur la fragmentation sociale : le socialisme spécifique qui étatise l'islam se distingue par son déni de la lutte des classes. Quant à ce qui pourrait concerner la fragmentation politique, elle est simplement rendue non avenue grâce à la proclamation de l'unipartisme, à l'ombre de l'armée dont la vigilance ne se dément jamais. Il n'est qu'un chemin pour les opposants : l'exil.

Rien ne s'oppose à ce que se mette en place un État « plein », un État sans faille, un État qui n'a pas à se confronter au vide, à affronter « l'horreur des commencements », selon la formule de Pierre Legendre[35]. D'autant que, le plus trivialement qu'il soit possible, l'horreur peut immédiatement être incorporée aux pré-commencements : l'histoire coloniale et la guerre pour l'indépendance. Relativement à cette dernière, l'horreur étant exclusivement imputée à la puissance coloniale, à son armée et à ses milices, dont l'OAS. Je tiens à être clairement comprise sur ce point qui me paraît capital, aussi me répéterai-je en d'autres mots : la responsabilité de la puissance coloniale est écrasante dans la difficulté qu'a l'État algérien, issu de la colonisation, à se fonder. Toutefois, le régime qui se met en place en 1962 utilise cette difficulté, la détourne à ses propres fins : faire l'impasse sur les contradictions qui existent entre les dorénavant indépendants. Dès ce moment, quelles que soient les velléités du néocolonialisme, et elles sont tangibles, le refus de déployer un récit des origines qui ouvrirait au dépassement discursif et, dès lors, constructif[36] des contradictions est imputable à l'« État algérien ». Reste la question de savoir si dans ces conditions – le refus de prendre en compte et, dès lors, de gérer les contradictions –, il est concevable qu'existe un « État » en Algérie. L'actuelle guerre contre les civils inciterait à conclure que cette phase n'a pas été affrontée. Ce non-affrontement n'est, cependant, pas imputable à l'ex-puissance coloniale.

L'« État » sans faille fait l'impasse sur les conflits. Il n'aménage pas les différences en un vivre-en-commun acceptable. Il les ignore. Il n'ouvre pas à l'espace politique. C'est en l'absence d'un pouvoir politique que les femmes sont proclamées « citoyennes à part entière ». Cette proclamation se situe en 1976 et l'égalité de l'homme et de la femme est inscrite dans la Constitution de la même année tandis qu'il n'y a pas de doublure[37] à ce statut de citoyenne. La citoyenneté des femmes ne repose pas sur la considération qu'elles sont des individus : il n'y a pas d'espace politique. De plus, et ce n'est pas moins important, si les « citoyennes à part entière » sont renvoyées au rôle de mères et d'épouses, ce rôle lui-même n'est pas institutionnellement arrimé, il est « flottant », en l'absence d'un code qui le définit, qui l'institue selon la loi commune. La citoyenneté des femmes ne repose ni sur un principe universaliste, ni sur un principe utilitariste, pour reprendre la distinction de Rosanvallon[38]. Elle ne repose sur « rien ».

La promulgation du *Code de la famille* en 1984 ne corrige pas cette situation. Non seulement parce qu'elle aboutit à faire des femmes des mineures à vie[39], mais encore, et peut-être surtout, parce qu'il inscrit le renoncement de l'État à se faire l'interprète de la loi. Il a alors, sans vergogne, délégué sa raison d'être à d'autres, en l'occurrence aux plus offrants en matière de moralisation bigote. Des articles du Code indiquent que c'est l'appartenance religieuse et non un montage de l'état civil qui préside à la construction du sujet par l'entremise de la filiation et de l'alliance. Là se situe le renoncement de l'État à jouer son rôle, à occuper sa place. De plus, d'autres articles de ce Code indiquent encore une suspicion à l'égard de la fermeté des convictions religieuses des femmes. Instruites dans la religion de leur père, elles sont tenues pour incapables de la transmettre à leurs enfants si elles ne sont pas astreintes à l'obéissance à un mari musulman. Elles ne sont pas tenues pour des « musulmanes à part entière ». Elles doivent être contenues sous haute surveillance au sein de la communauté religieuse. N'étant pas des « musulmanes à part entière », elles ne peuvent plus, dans le cadre établi, continuer à être interpellées comme des « citoyennes à part entière ».

Ce Code, faut-il le redire, n'a pas été promulgué par un « État islamiste ». D'ailleurs, des femmes qui affichent leur adhésion à l'islam politique réclament elles aussi son abrogation, car elles estiment que l'application intégrale de la *Chari'a* serait moins dommageable pour les femmes, les protégerait mieux. Sans avoir tort sur le plan doctrinal, leur position est insoutenable si l'on prend en considération les transformations sociologiques qu'a connues la famille agnatique[40]. Ce que fait le *Code de la famille* de 1984, mais il le fait exclusivement au détriment des femmes, rompant ainsi

toute velléité d'« équilibre » dans les rapports sociaux
entre les sexes. Cette perspective se donne notamment
à lire à propos de la répudiation et de ses conséquences
sur l'occupation du logement familial. Dans la famille
« traditionnelle », lorsqu'une femme était répudiée, elle
revenait, le plus souvent avec ses enfants, dans la
maison paternelle ou, à défaut, dans celle de l'un de ses
frères, généralement l'aîné. Cette solution est devenue
sociologiquement impraticable à la suite de l'exode
rural vers la ville et de l'exiguïté des logements urbains.
Ce qui n'empêche pas le *Code de la famille* de 1984 de
décréter que le mari garde le domicile conjugal s'il est
unique… Autrement dit, il légitimise que femme et enfants soient à la rue.

Ce Code n'a pas été promulgué par un « État
islamiste », il l'a été par un « État » qui renonçait à en
être un, qui renonçait alors ouvertement à être le garant
du vivre-en-commun. Aussi l'année 1984 et la promulgation de ce Code pourraient-elles être tenues pour
le point de nouage de la guerre contre les civils. Elles
marquent que l'« État » a renoncé à avoir le monopole
de la violence légitime, puisqu'il a renoncé à endosser
le rôle de la référence. Cet événement ne concerne pas
seulement les femmes, même si elles en sont quotidiennement et à l'année longue, les premières victimes, les
victimes les plus démunies, les victimes les plus nues.

Si les Algériennes, mais en plus grand nombre
encore, les Algériens sont aujourd'hui massacrés, c'est
parce qu'ils ne sont pas constitués en citoyens dans un
espace politique, ils sont seulement des corps dans une

promiscuité insoutenable. C'est sur le plan des rapports sociaux entre les sexes et des rapports familiaux que cette réalité se donne le plus immédiatement à lire parce que, au-delà de la fiction, au-delà du ficelage institutionnel, les corps ne sont jamais absents. Mais cette réalité se donne aussi à lire dans l'économie et dans la langue, ainsi que le bref chapitre suivant tentera de l'illustrer. Si la violence insoutenable qui sévit actuellement en Algérie pouvait nous apprendre quelque chose, ce serait cela : le « vécu » est une référence qui nous empêche de vivre.

UNE FAILLITE POLITIQUE

Les Algériens et les Algériennes sont aujourd'hui massacrés parce qu'ils n'ont pas été constitués en citoyens quand leur État est advenu à l'indépendance. J'ai tenté de montrer dans le chapitre précédent que cette non-constitution en sujets politiques se donne clairement à lire dans l'avènement de la promulgation du *Code de la famille* en 1984 et que cette dernière dépasse le statut des seules femmes. Elle illustre combien l'« État algérien » peine à se constituer en garant du vivre-en-commun sociétal. Cette incapacité – qui est le revers du consensualisme – se donne aussi à lire dans deux occurrences spontanément associées à la « montée de l'islamisme » : la « faillite économique » et l'arabisation.

Cette association tombe spontanément sous le sens. Mais l'une et l'autre renvoient aussi très largement et sans doute d'abord à la non-fondation « politique » de l'État. Non-construction d'un espace politique qui ne signifie certes pas absence d'un appareil administratif, d'un État bureaucratique. Au contraire : un État bureaucratique a pris la place, toute la place, d'un État instituant. Un État bureaucratique qui cultive l'incapacité de prendre acte de la division, qui fonctionne à l'unanimisme décrété. C'est à ce cramponnement à l'unanimisme que peuvent être ultimement rapportés les ratés de la gestion économique et les ratés de la gestion de la pluralité des langues et des cultures.

LA « FAILLITE ÉCONOMIQUE »

Je renonce ici à établir un bilan de l'Algérie indé-pendante sur le plan économique[1]. L'objectif de ces quelques lignes consiste à appuyer la proposition de Hocine Benkheira qui, dans la présentation du numéro de *Peuples méditerranéens*, *Algérie. Vers l'État islami-que ?*, qu'il a dirigé en 1990, écrivait :

> *L'analyse du « socialisme algérien », dans une perspective anthropologique, permettrait d'échapper aux faux dilemmes du discours partisan et de la critique idéologique qui ont toujours raison* a posteriori. *Ce qui apparaî-trait alors plus important n'est pas, par exem-ple, la rente énergétique, mais le refus de l'économie,* i. e. *le refus de la primauté de l'intérêt économique, le refus de se soumettre à cette primauté et d'organiser autour d'elle la vie collective. Ce même refus explique et rend compte de la méfiance à l'égard du capitalisme et de la propriété privée. Il s'explique à son tour par la suspicion dans laquelle le calcul est tenu, et par le rejet de la violence économique.*

Sans avoir l'ambition d'amorcer cette analyse, je rappellerai simplement quelques faits. Son sous-sol riche en pétrole et en gaz fait de l'Algérie un pays rentier. Ces richesses ont été nationalisées, algériani-sées, en 1971 alors que des intérêts français y étaient encore engagés. Cette mesure, présentée comme répon-dant au souci de parfaire l'indépendance politique grâce à l'indépendance économique, allait de pair avec

le projet de développer des « industries industrialisantes » autour du gaz et du pétrole. Projet à long terme
qui a été privilégié au détriment de l'agriculture et
surtout – les conséquences en ont sans doute été plus
lourdes à supporter par la population – des industries de
transformation qui étaient encore largement aux mains
du secteur privé, par ailleurs, peu développé.

Avec la revalorisation du prix du pétrole en 1973 et
la pression de l'Organisation des pays exportateurs de
pétrole (OPEP) – dans laquelle l'Algérie a joué un rôle
très actif, le plus souvent contré par l'Arabie saoudite et
les émirats du Golfe qui veillaient aux intérêts améri-
cains –, la rente pétrolière a pris une grande ampleur.
Étatiquement gérée puisque le secteur était nationalisé.
Sous le régime de Boumediene (jusqu'à la fin de l'année 1978), au-delà des investissement industriels, la
rente a été redistribuée de manière telle que la population soit nourrie – subventions généreuses aux produits
de première nécessité –, en santé – médecine gratuite –
et que ses enfants soient scolarisés – enseignement
gratuit à tous les niveaux. Au milieu des années 1970,
le taux de salarisation progresse dans les « sociétés nationales » (grands secteurs : pétrole, mais aussi métal-
lurgie, textile, bois, etc.).

Se mettait en place un État nourricier qui, en
échange, économiquement, d'une productivité relativement faible, mais, politiquement, de la passivité citoyenne, assurait ses ressortissants d'un niveau de vie
moyen acceptable. Sa cohérence reposait notamment
sur des disparités de niveau de vie relativement peu

visibles : tout le monde était plutôt pauvre, mais personne ne manquait du strict minimum. L'austérité qu'incarnait physiquement Boumediene n'était pas étrangère à ce *modus vivendi*.

L'arrivée au pouvoir de Chadli en 1979 va de pair avec le dysfonctionnement du système. Il est probable qu'il avait objectivement atteint sa limite d'équilibre et qu'il aurait subi un sort voisin si Boumediene n'était pas mort et avait continué à présider à ses destinées. L'accroissement de la population a alors atteint un niveau qui rendait la situation de plus en plus difficile à gérer d'autant plus que rien, ou si peu, n'avait été fait en matière de logements. On s'était contenté de maintenir le parc de logements colonial. Les jeunes, de plus en plus scolarisés grâce au développement de l'enseignement gratuit à tous les niveaux, trouvaient difficilement un emploi : les « sociétés nationales » avaient fait le plein pour longtemps.

La consommation jusqu'alors bridée, mais suffisante a reçu un double coup de fouet : d'une part, grâce à l'importation étatique plus massive de biens de consommation durable (voitures, machines à laver) redistribués prioritairement aux travailleurs des « sociétés nationales » (y compris l'administration, la gendarmerie et l'armée) et, d'autre part, en raison du détournement de la « rente émigrée ». Traditionnellement, les travailleurs émigrés en France envoyaient un mandat à la famille restée au pays. Dans les années 1970, la France concède de plus en plus que femme et enfants puissent rejoindre l'homme solitaire parqué dans un foyer pour travailleurs immigrés. À la fin de la décennie, les économies que peuvent faire les Algériens à l'étranger ne sont plus envoyées au pays. Elles sont directement recyclées sur place. Par exemple, un émigré achète une voiture en France et, lors de ses vacances en Algérie, la ramène à un cousin resté au pays. Celui-ci l'aidera à s'y construire une maison pour ses vieux jours. Se met aussi en place tout un système de troc pour les « pièces détachées » (du moteur aux essuie-glaces). Les taux frisent parfois l'usure. Les Algériens restés en Algérie accèdent « par la bande » à des biens de consommation qui y sont difficilement trouvables puisqu'ils n'y sont pas produits. Parallèlement, le système de santé et le système scolaire se dégradent. Avec la chute du prix du pétrole au milieu des années 1980, les biens de première nécessité sont de moins en moins subventionnés.

Une partie de plus en plus importante de la population est confrontée au mal-vivre tandis qu'une minorité ne cache plus le parti qu'elle tire de ce mode de fonctionnement. Mais si la corruption s'est développée en système, c'est largement parce que la population dans son ensemble fonctionnait sous le mode du clientélisme. Les plus nombreux n'en retiraient que des avantages infimes et des frustrations énormes tandis que d'autres s'engraissaient. Certains fabuleusement et d'autres médiocrement. Sans nécessairement, pour les seconds, verser dans la malhonnêteté. Il suffisait d'être placé au bon endroit au bon moment dans les ramifications de l'appareil d'État[2]. Au-delà des bénéfices matériels, peu ou prou importants, retirés par ceux qui s'y adonnaient, s'exhibait une arrogance proportionnellement inverse à la part des détenteurs d'une parcelle de pouvoir. Sa microphysique avait développé des tentacules inimaginées par Michel Foucault. Cette arrogance constituait une échappatoire inconsciente à la frustration diffuse qui se heurtait à l'interdit de parler et d'agir dans l'espace politique.

Au-delà des choix stratégiques sans doute hasardeux des « industries industrialisantes », le primat donné à l'« indépendance économique » dans le discours étatique, relayé par son opposition soviétiste tolérée (Parti de l'avant-garde socialiste), masquait mal la difficulté de gérer l'indépendance politique, l'obligation de permettre aux Algériens de se comporter en citoyens. La « faillite économique » repose sans doute avant tout sur la fuite dans la confrontation à l'égard de « la constitution de l'économie en tant que telle, c'est-à-dire en tant que système régi par les lois du calcul intéressé, de la concurrence ou de l'exploitation[3] ». Aussi les circonvolutions à propos de la « propriété privée non exploiteuse[4] » opposée au « secteur privé parasitaire ou *compradore*[5] ». Aussi la promotion de la « gestion socialiste des entreprises » qui impliquait qu'ouvriers et cadres poursuivaient les mêmes intérêts. Ce qui entraînait l'interdit de la grève et la non-autonomie du syndicat à l'égard du pouvoir[6], au nom du principe décrété dans la *Charte nationale* selon lequel « il ne saurait y avoir contradiction entre leurs intérêts [ceux des travailleurs] et ceux de l'entreprise qui les emploie ».

La période de Chadli illustre que l'« ouverture à l'économie libérale » ne résout pas magiquement les effets de blocage que distille le primat accordé à la communauté sur la société : l'aspiration jamais démentie, sinon toujours amplifiée, à l'unanimisme, à la dénégation des conflits au sein du « peuple ». C'est cette aspiration qui inspire officiellement la « gestion économique ». Soutenable tant que le niveau de la rente répond aux besoins de la population. Intenable lorsque le prix du pétrole dégringole et que l'« explosion démographique » produit ses effets. Quand l'aspiration officielle devient insoutenable, la rhétorique emprunte à l'« économie de marché » afin de faire admettre que la rente pétrolière ne doit plus être gérée pour répondre aux besoins de la population. Elle est de plus en plus accaparée par ce que l'on appellera, après 1992, la « maffia politico-financière », en omettant le plus souvent de préciser que des gradés de l'armée en font largement partie.

La faillite économique est donc avant tout une faillite politique. Plus précisément, elle s'inscrit dans le refus de construire un espace politique au sein duquel des intérêts divergents trouveraient à s'exprimer. L'économie de marché n'a pas de vertu démocratique en elle-même, elle résulte d'une auto-construction de la société. La greffe ne pouvait pas prendre sur le tissu social algérien au tournant des années 1990.

L'ARABISATION

Si la gestion de l'économie répondait à l'aspiration de faire de l'Algérie une communauté à l'abri des luttes de classe, la résolution du problème de la coexistence des langues emprunte également le travers de l'unanimisme décrété. Je partage le point de vue de Gilbert Grandguillaume lorsqu'il écrit :

> *Une opinion fort répandue aujourd'hui est que l'arabisation a conduit l'Algérie à l'islamisme. Ce n'est pas l'arabisation en soi qui peut être incriminée, mais la façon dont elle a été mise en place. Au contraire, si l'arabisation avait été conduite de façon ouverte, elle aurait empêché la mystification actuelle d'une référence manipulée. Une référence aussi massive de la personnalité maghrébine que la langue arabe ne pouvait demeurer absente du paysage algérien comme ce fut le cas durant la colonisation[7].*

La langue est un sujet particulièrement sensible en Algérie pour plusieurs séries de raisons partiellement interreliées. La colonisation a imposé l'usage du français ; la langue française était la langue de l'administration ; les seuls écrits étaient en français. Toutefois, on y a fait rapidement allusion dans le premier chapitre, la scolarisation en français était extrêmement restreinte pour les « indigènes ». Mais, non contente d'imposer sa langue aux colonisés sans la leur enseigner, la puissance coloniale a aussi tenté de contrecarrer leur accès à la langue arabe écrite, à l'« arabe classique ».

Grandguillaume rapporte le témoignage du saint-simonien Ismaël Urbain, cité par Charles-E. Ageron[8], selon lequel au moment de la conquête française (1830), la connaissance de l'arabe classique était largement répandue, au moins chez les hommes[9]. Des fondations pieuses (*habous*) soutenaient des universités, mais aussi l'enseignement dans les écoles coraniques répandues dans les villages. En 1843 et en 1848, le pouvoir colonial les confisque et porte dès lors un coup très sévère à cet enseignement. Les écoles coraniques qui continuaient à fonctionner plus ou moins clandestinement subissaient un tas de tracasseries, car elles étaient accusées d'entretenir le « fanatisme » des « indigènes » et à les tenir écartés des « bienfaits de la civilisation ».

Cette répression a renforcé l'association, de la part des colonisés, entre langue arabe et religion islamique. Avec pour résultat que l'arabe enseigné vaille que vaille en Algérie durant le XIXe siècle reste à l'écart de la modernisation linguistique effectuée dans d'autres pays à la même époque. Y persistent donc d'un côté la langue du Coran et de l'autre les parlers régionaux, ce qu'on nomme l'« arabe dialectal » et qui n'est pas le même dans l'Oranie, le Constantinois ou l'Algérois. La politique coloniale a donc figé l'accès des « indigènes » à l'arabe moderne, langue de travail et de communication distanciée du langage coranique.

À l'indépendance, le pouvoir algérien était contraint de susciter l'adoption d'une langue commune. Elle ne pouvait être le français par la force des choses politiques, mais encore parce que les « masses

populaires » la maîtrisaient peu ou mal. Restait à imposer l'arabe moderne que les Algériens ne maîtrisaient
pas pour les raisons mentionnées. Aussi y eut-il
tergiversations. Par exemple, l'arabisation totale de
l'administration fut décrétée dès 1968, mais, en 1991, il
se révéla encore nécessaire de voter une loi interdisant
l'usage du français en son sein.

Sur le plan de l'enseignement, les velléités d'arabisation ont débuté dès 1966 et se sont poursuivies, par
paliers (primaires, secondaires, universitaires) jusqu'en
1988. Pour la mener à bien, si l'on peut dire, il a fallu
faire appel à des enseignants moyen-orientaux, car les
enseignants algériens arabophones compétents étaient
trop peu nombreux. Les « pays-frères » – et en tout
premier lieu l'Égypte nassérienne – n'ont rien trouvé
de mieux que d'envoyer en Algérie des enseignants
sympathisants des « Frères musulmans », ce qui leur
évitait de les envoyer massivement en prison. Ce facteur n'est certainement pas négligeable dans la « montée de l'islamisme ». Il n'est pourtant pas déterminant.
La « montée de l'islamisme » associée à l'arabisation
de l'enseignement relève avant tout d'une contradiction
interne à l'Algérie.

À l'automne 1979, une grève d'étudiants éclate
dans les universités pour réclamer leur arabisation
totale. À ce moment, il y avait dans tous les départements, à quelques exceptions près, une filière francophone et une filière arabophone. La grève était menée
par les étudiants de la filière arabophone qui prenaient
conscience de ce que leur diplôme les conduisait droit

au chômage. En effet, malgré le discours étatico-bu-reaucratique prolangue arabe, il était patent que seuls les diplômés des filières francophones pouvaient es-compter un emploi dans les « sociétés nationales » et dans les officines de l'administration. Les étudiants ara-bophones, le plus souvent originaires de milieux plus populaires encore que les étudiants francophones[10], ont espéré mettre fin à la discrimination dont ils étaient victimes sur le plan de l'embauche professionnelle, en revendiquant la liquidation des filières francophones. Ils obtinrent très rapidement gain de cause en ce qui concerne les sciences humaines alors que l'arabisation totale des sciences « dures » devaient s'étaler sur plusieurs années.

Cette décision était d'ailleurs facile à prendre : l'université algérienne avait formé assez de jeunes so-ciologues, de jeunes psychologues et de jeunes profes-seurs de lettres pendant 15 ans pour en stopper la production sans inconvénient majeur à court terme. Elle n'a bien sûr rien arrangé quant au fond : les di-plômés des filières arabophones n'intégraient pas pour autant les secteurs d'emploi correctement rémunérés. Ils étaient pourvus. Aussi, bon nombre d'entre eux, frustrés, durent-ils se résoudre à devenir enseignants au primaire et dans les classes inférieures du secondaire. Dans des classes surchargées, non équipées et pour des salaires de misère. Ils seront aisément réceptibles aux sirènes de l'islamisme politique.

La facilité inhabituelle avec laquelle le régime de Chadli a obtempéré aux revendications des étudiants

arabophones au début de l'année 1980 a eu deux conséquences immédiates. Les coopérants étrangers francophones – le plus souvent des « pieds-rouges » ou des
compagnons de route sinon des membres du Parti
communiste français – ont été cavalièrement remerciés
et remplacés par des coopérants moyen-orientaux. Plus
grave, bon nombre d'enseignants algériens, fraîche-
ment détenteurs d'un doctorat soutenu en France, grâce
à des bourses octroyées par le gouvernement algérien,
ont également dû renoncer à l'enseignement supérieur
parce qu'ils n'étaient pas aptes à le dispenser en arabe.
Certains, après quelques sessions d'immersion inten-
sive d'arabe en Syrie, se sont reconvertis. Beaucoup ont
quitté l'université algérienne pour d'autres secteurs ou
pour l'étranger. Cette fuite des cerveaux de l'université
n'a pas favorisé le déploiement d'un groupe d'intellectuels critiques. D'autant plus que cette éventualité
était déjà extrêmement restreinte par le poids du Parti
de l'avant-garde socialiste dans le milieu universitaire.
Si l'« islamisme » a pu se déployer avec un succès fou-
droyant en un laps de temps très court à l'université au
début des années 1980, c'est bien parce que sa langue
de bois a remplacé celle qui était diffusée[11] dans les années 1970 par les enseignants et les étudiants « sovié-
tistes ». Une langue de bois, comme on sait, n'est pas
propice au déploiement d'un débat politique. Qu'elle
soit de bois arabe ou français.

L'autre conséquence d'avoir promptement satisfait
les revendications des étudiants arabophones est
l'exacerbation de la « question kabyle ». Elle donne

immédiatement lieu au « printemps kabyle[12] » en 1980. L'interdiction d'une conférence de Mouloud Mammeri à l'université de Tizi Ouzou sert de détonateur. Les étudiants de cette université située en terre kabyle, qui revendiquaient depuis longtemps un enseignement dans leur langue, étaient, par la force des choses, extrêmement mécontents de la décision d'arabiser l'université. Au-delà de la revendication sur la langue, ce mouvement de 1980 a été important parce qu'il a posé ouvertement le problème de la liberté d'expression. Problème qui n'a certes pas été pris en considération par le régime à l'époque. Le fait de le poser a toutefois ouvert l'ère des contestations des années 1980.

Selon les estimations[13], le berbère serait parlé en Algérie par au plus 20 % de la population. De plus, tout comme pour l'arabe dialectal, il ne s'agit pas d'une langue unifiée. Chaque région a la sienne : kabyle, chaouia, mozabite, targui. Leurs locuteurs habitent généralement des zones montagneuses à l'habitat dispersé ; toutefois de nombreux Kabyles résident à Alger. Il faut encore noter qu'il s'agit essentiellement de langues orales et les textes existants sont fixés en caractères arabes ou en caractères latins[14]. Selon Youssi, le locuteur berbère, à l'exception de très jeunes enfants, de femmes et de vieillards qui n'ont jamais quitté leur village, est au moins bilingue. Il utilise l'arabe avec les arabophones, mais aussi, éventuellement, avec des locuteurs des autres dialectes berbères.

La « question kabyle » – qui ne représente pas l'ensemble du « berbère » – ne tient qu'indirectement à la langue. Peu nombreux sont ses militants qui aspirent à voir l'Algérie officiellement bilingue sur l'ensemble de son immense territoire. Par ailleurs, même si le kabyle n'est pas utilisé dans l'administration et les affaires, il est difficilement soutenable de prétendre que les « Berbères » sont ostracisés sur le plan du régime politico-militaire et économique. Le *Berbere Power* à Alger n'a certainement rien à envier au *French Power* à Ottawa. Mais, comme on sait, cela complique plus les choses que ça ne les résout. Grandguillaume[15] explicite ainsi clairement la donne :

> *La langue parlée berbère pose un problème massif à la construction idéologique officielle qui fait naître la nation algérienne avec l'apparition de l'islam. Par son existence même, elle témoigne d'une origine antérieure, bien plus, d'une survivance. Bien que les Berbères soient aussi musulmans que les Arabes, l'existence de ces parlers berbères apparaît comme un inachèvement dans la conversion, comme si on ne pouvait être vraiment musulman que dans la langue arabe. Tout ceci n'est jamais dit aussi brutalement, mais tous les comportements, officiels ou non, le suggèrent. Cette origine antérieure à l'islam est l'objet d'une forte dénégation.*

L'existence des langues berbères est donc un des éléments susceptibles d'empêcher l'État algérien de se construire comme un État « plein », comme un État sans faille. Jusqu'à présent, cette possibilité a été rejetée. Aussi peut-on prétendre à la non-fondation d'un État : plutôt que d'aménager les différences dans un vivre en commun, l'État bureaucratique les dénie. Cette manière de faire ne concerne pas seulement la « question kabyle » : on a vu qu'elle était aussi à l'œuvre dans la gestion de l'économie et qu'elle opère aussi dans l'institution du sujet sur le plan de l'état civil. Il n'en demeure pas moins que la question de la langue n'est pas une question futile puisqu'elle aussi intervient dans cette institution du sujet. La concernant, il faut pourtant bien constater que la logorrhée « berbériste » sur les racines du peuple algérien, sur la souche comme on dirait au Québec, se contente d'inverser la donne. Elle ne la transforme pas, elle ne la travaille pas. Cette perspective est d'autant plus préjudiciable, dans l'état actuel des choses, qu'elle prétend que les Kabyles sont spontanément « laïques, démocrates et champions des droits des femmes ». Cette prétention non fondée[16] a pourtant l'oreille des médias occidentaux qui succombent en l'occurrence au « complexe d'Astérix[17] ». Le berbérisme – qui est à la berbérité ce qu'est l'islamisme à l'islam – s'exprime aujourd'hui dans le Rassemblement pour la culture et la démocratie (RCD). Ce parti « laïque » et « démocrate », le seul à ses propres yeux à défendre ces valeurs en Algérie, ne parvient pas à mordre sur un électorat non kabyle, ainsi que les piètres performances de Saïd Saïdi[18] – qui a appelé au coup d'État militaire du 11 janvier 1992 et qui soutient la tendance la plus éradicatrice de l'armée – l'illustrent à chacune des élections depuis lors.

Si le berbérisme tel qu'il s'exprime par le RCD et les associations culturelles qu'il soutient pourrait s'avérer un remède pire que le mal, il reste que la revendication des conditions et moyens pour que les langues berbères soient enseignées et rayonnent en Algérie doit être soutenue. Notamment parce que cette revendication va dans le sens d'une réconciliation de l'Algérie avec ses origines « fragmentées et disparates ». Elle pourrait contribuer à ce que la langue cesse d'incarner le principe référentiel majeur[19].

Cela implique, bien sûr, que la langue commune parlée en Algérie, tout en étant l'arabe, ne soit pas la « langue du Coran ». Amalgame que les ratés de l'arabisation, telle qu'elle s'est déployée pour de mauvaises raisons politiques, a surdéterminé. Cet avatar n'est pourtant pas en soi insurmontable. Pour au moins deux raisons. Pour la majorité des musulmans dans le monde aujourd'hui – qu'on pense aux Iraniens, aux Pakistanais, aux musulmans de l'Inde, de la Chine, des ex-républiques soviétiques, etc. –, l'arabe n'est pas leur langue usuelle. En second lieu, les « islamistes politiques » ont, le plus souvent, une formation en génie[20] et non en sciences humaines. Ce qui est sans doute regrettable à certains égards, mais en l'occurrence prometteur d'un positivisme qui pourrait s'avérer démythifiant.

5

LE TRIOMPHE DU MILITAIRE

Le triomphe du militaire résulte du déni du politique. Il s'impose ouvertement à partir de janvier 1992 et du coup d'État qui interrompt le processus électoral des législatives qui aurait fait du Front islamique du salut le parti de gouvernement. Le triomphe du militaire – tant du côté de l'armée que du terrorisme – n'était pas inéluctable, même si, les chapitres antérieurs étaient destinés à l'illustrer, le coup d'État militaire n'est pas survenu comme un coup de tonnerre dans un ciel clair. L'inexpérience politique des Algériens et des Algériennes explique partiellement la suite des événements. Le caractère tragique qu'ils empruntent est pourtant assez singulier.

Faire du coup d'État militaire du 11 janvier 1992 le détonateur de la tragédie actuelle revient à en imputer la responsabilité à l'armée algérienne. J'en suis bien consciente et j'assume cette interprétation. Cela ne signifie pas que j'accorde foi aux rumeurs qui veulent qu'elle participe directement aux massacres contre les civils qui sont médiatisés et imputés aux « islamistes ». Aucune preuve ne permet de trancher dans ce sens, même si l'arrogance avec laquelle le régime en place refuse une commission d'enquête internationale alimente le soupçon. L'important réside, me semble-t-il, dans le fait que la junte militaire est intervenue et continue à intervenir de sorte que la spirale de la violence qu'elle a enclenchée aboutisse aux abominations qui parviennent enfin à faire frémir l'opinion publique internationale.

Pour le mettre en évidence, je m'emploierai dans ce chapitre à faire partager le point de vue selon lequel les « islamistes » ne constituent pas un tout monolithique. Cette entreprise est dictée par le souci de promouvoir la perspective selon laquelle une « sortie de crise » n'est envisageable que si des pourparlers politiques intègrent la composante FIS telle qu'elle s'est décantée au fil de ces années. Elle n'est soutenable que si une distinction est opérée entre le « parti » et les « terroristes ». Distinction constamment recouverte par l'armée algérienne, ses journaux et ses démocrates. Relayés depuis longtemps par la plupart des médias occidentaux et aujourd'hui par les touristes politiques, des vieux « nouveaux philosophes » aux parlementaires, qui vont faire leur petit tour à Alger.

Je n'ignore pas qu'entreprendre de clarifier cette distinction me vaudra d'être taxée par plus d'un d'être un suppôt du FIS. Je me contenterai de le dénier. Les lectrices et les lecteurs attentifs aux pages précédentes admettront aisément, je l'espère, que si j'étais une citoyenne algérienne, je ferais tout ce qui est en mon pouvoir pour empêcher que le FIS n'accède aux rênes du pouvoir parce que son programme politique ne rencontre pas les aspirations de la femme-de gauche-démocrate que je m'évertue à être. Mais, pour cela même, je le ferais politiquement parce que je le considérerais comme un adversaire « politique ».

LES FIS

Le Front islamique du salut a été fondé le 18 février 1989 et légalisé comme « parti politique » le 14 septembre suivant. Cette reconnaissance est survenue bien que la Constitution, plébiscitée dans la foulée de l'après-octobre 1988, prévoyait qu'un parti politique ne pouvait être fondé notamment sur des bases « exclusivement confessionnelles ». Le président de la République de l'époque – Chadli Bendjedid – a donc failli à son rôle de « gardien des institutions[1] ». Dans le climat de libéralisation existant alors, on n'a pas enregistré une forte mobilisation pour s'y opposer. Cet argument a essentiellement été utilisé par des politiciens, après janvier 1992, afin de justifier leur appel ou leur adhésion au coup d'État et à la déposition de Chadli. Le problème de cette accréditation réside principalement en ce que l'existence de ce parti collait à une donnée par trop sociologique : l'immense majorité du peuple algérien est « islamique ». La reconnaissance d'un parti religieux comme parti politique correspondait donc à l'attente d'une large partie de la population « disciplinarisée » depuis des décennies au consensus, à l'unanimisme.

La reconnaissance légale du FIS s'intégrait donc à la pratique habituelle en Algérie du déni du politique. Mais là n'était pas la préoccupation de Chadli et de son entourage : après les émeutes d'octobre 1988 – récupérées, mais non déclenchées et peu animées par les « islamistes[2] » –, réprimées dans le sang par l'armée[3],

il convenait de conserver le pouvoir[4] sous le couvert de
la « démocratisation ». Celle-ci s'est concrétisée dans
une expression qui, avec le recul, apparaît essentiellement bureaucratique : l'enregistrement d'une pléthore
de partis, d'associations et de journaux. Aux élections
législatives de décembre 1991, plus d'une cinquantaine
de partis ont présenté des candidats ! Inflation qui as-
phyxie l'espace politique plutôt qu'elle ne l'ouvre.

En juin 1990 ont lieu les premières élections
« pluralistes » en Algérie, des élections municipales, et
elles sont massivement remportées par le FIS, y
compris dans les grandes villes et dans la capitale. Ces
résultats marquent une « continuité dans la discontinuité[5] ». Discontinuité puisque, lors des premières
élections organisées en Algérie au cours desquelles
s'affrontent plusieurs partis[6], le Front de libération
nationale est sévèrement battu. Continuité pourtant en
ce que les résultats de ces élections marquent la victoire
de la conception autoritaire du politique.

Tandis que le FIS fait l'apprentissage de l'exercice
du pouvoir dans les mairies, on assiste, durant l'automne 1990 à la préparation puis à l'éclatement de la
guerre du Golfe en hiver 1991. Le FIS, financé par
l'Arabie saoudite, se range aussitôt dans le camp des
preux chevaliers de la démocratie, en l'occurrence de la
« démocratie koweïtienne[7] ». Ce qui n'empêche pas les
Algériens de descendre en grand nombre dans la rue
pour réclamer la non-intervention contre le peuple
irakien sinon proclamer leur soutien à Saddam Hussein.
Le FIS se ravise : il appelle à une manifestation pro-

irakienne et Ali Benhadj, troquant la *kamiss*[8] pour un treillis militaire, est reçu par le ministre de la Défense, le général Nezzar, en costume civil, à qui il demande des armes pour aller combattre avec les « frères irakiens », tandis que le gouvernement hésite à choisir son camp. Cette volte-face indique que le FIS n'est pas sourd à la « volonté populaire » lorsqu'elle s'exprime avec fermeté. Au prix non seulement de perdre ses généreuses subventions – ce qui se produira : l'Arabie saoudite cesse de le financer –, mais encore de perdre une indifférence, parfois bienveillante, des gouvernements occidentaux. C'est lorsqu'il choisit le « mauvais camp », pour suivre sa base populaire, que le FIS commence à être stigmatisé par les chancelleries alliées.

La tension autour de la guerre du Golfe affaiblit à la fois le FIS qui a dû affronter des déchirements internes et le pouvoir en place qui n'a pas su sur quel pied danser. Pour faire diversion, des élections législatives sont programmées pour juin 1991. Le découpage électoral est concocté de manière telle qu'il suscite une réprobation quasi générale, à l'exception de la frange des candidats du Front de libération nationale proches du gouvernement Hamrouche, alors en place, pour lesquels il avait été taillé sur mesure. Le FIS lance alors un mot d'ordre de grève[9] contre ce découpage électoral et pour des élections présidentielles anticipées. Afin d'éviter les débordements, les militants du parti islamiste sont autorisés par le premier ministre Hamrouche à occuper quatre places publiques d'Alger. La grève est relativement peu suivie par les travailleurs qui restent

116	*Algérie. La guerre contre les civils*

largement encadrés par l'UGTA. Ce qui autorise de nombreux observateurs à renforcer leur opinion selon laquelle le FIS est le « parti des gueux », selon laquelle sa base se recrute parmi les sans-travail, parmi le lumpen-prolétariat, aurait dit Marx. La grève est, en effet, un succès de foule : des rues et des places de la capitale sont occupées jour et nuit.

Dans la nuit du 3 au 4 juin, l'armée intervient à nouveau violemment et tuent des centaines de personnes. Le gouvernement Hamrouche est aussitôt contraint à la démission. Ce qui légitimise d'une certaine façon le bien-fondé de la réaction du FIS contre le découpage électoral que ce gouvernement avait proposé et qui était à l'origine de la grève. Dans la foulée, mais ce n'est pas moins important, l'occasion est ainsi saisie de mettre un arrêt à un programme de réformes économiques susceptible de porter atteinte à des privilèges établis[10]. L'état de siège est décrété, les pouvoirs de police sont confiés à l'armée et les chars envahissent une nouvelle fois les rues d'Alger tandis que les élections législatives sont reportées : l'armée se redéploie sur la scène politique qu'elle avait dû quitter après octobre 1988 et elle y est toujours. Comme l'énonce Touati[11], « en décrétant l'état de siège et en s'emparant de la lutte anti-islamiste, l'ANP désignera son principal adversaire et l'amènera à s'engager sur son terrain de prédilection, celui du combat armé, au détriment du combat politique ». Pour ce faire, il faudra cependant passer par le coup d'État de janvier 1992.

Le 30 juin 1991, Madani, Benhadj et six autres leaders du FIS sont arrêtés. Ils seront jugés un an plus tard et condamnés à 12 ans de prison. Le FIS est donc décapité, il n'est cependant pas interdit. Il va se recomposer. Autrement. Dans la foulée de l'après-octobre 1988, le FIS se présente publiquement comme un « front ». Il y va d'un mimétisme avec le Front de libération nationale de 1954. Il n'est pas seulement sémantique. Son caractère bicéphale – il a deux leaders : Madani et Benhadj que tout oppose, jusqu'à leur apparence corporelle ; l'un est aussi rondouillard que l'autre est effilé – exprime sans détour, mais non sans ombre, combien il résulte, dès son apparition, de compromis et de marchandages entre des tendances si diverses qu'il serait fastidieux d'en retracer les entrelacements, à supposer que cela soit possible.

Disons, pour simplifier, qu'avec Benhadj et Madani coexistent deux tendances : la tendance *salafiste* et la tendance *djaz'ariste*. La première, qu'on pourrait dire « fondamentaliste », est elle-même composite. Elle s'exprime publiquement par les imams (les hommes qui président à la prière dans les mosquées), dont le plus jeune est Ali Benhadj. La seconde, qu'on pourrait dire « algérianiste », rassemble de jeunes diplômés des filières scientifiques qui revendiquent une spécificité nationale. Jusqu'à la grève de mai-juin 1991, c'est la première qui est la plus bruyante alors que la seconde soutient l'expérience municipale[12].

Mais l'échec de la grève et l'arrestation de Madani et de Benhadj fournissent l'occasion d'une « révolution de minaret[13] » au sein du FIS dans le courant du mois de juillet 1991, dirigée par Abdelkader Hachani, promu responsable de la commission des affaires politiques. Dépourvu d'assise politique dans le parti et minoritaire au sein de son conseil consultatif, Hachani tente de s'assurer de la loyauté de la tendance « algérianiste », dont il « partage le profil et les desseins politiques, sans jamais y avoir adhéré[14] ». Cette « révolution de minaret » sera, bien sûr, mal reçue par ceux à qui elle est imposée, ce qui ne manquera pas de susciter des dissidences qui ne resteront pas sans conséquence. Nous y reviendrons.

Soulignons ici la transformation imprimée par Hachani au sein du FIS qui se traduira par une modification très sensible à l'occasion du dépôt des candidatures aux élections législatives[15]. Pour y parvenir, Hachani, qui passera le mois d'octobre 1991 en prison, a d'abord dû convaincre son parti d'accepter de participer aux élections contre l'avis des « fondateurs historiques » qui sont restés en liberté et qui étaient enclins à promouvoir la prise de pouvoir par les armes. Il s'agit, en quelque sorte, d'une victoire, au sein du FIS, des « technocrates » contre les « théocrates ». C'est cette tendance qui était en passe d'emporter les élections. C'est elle aussi qui est renversée par le coup d'État militaire du 11 janvier. Hachani est emprisonné le 18 et Rabah Kebir, qui prend sa succession, est lui-même arrêté au début du mois de février. Labat conclut sur ce point :

> *l'arrestation de Hachani et de Kebir fait l'af-*
> *faire de leurs adversaires au sein du parti,*
> *hostiles à leurs choix quant aux modalités*
> *d'accès au pouvoir ainsi qu'à ses modes de*
> *gestion, mais elle satisfait les « faucons » du*
> *régime, qui voient dans leur probable rempla-*
> *cement par de nouveaux leaders plus in-*
> *transigeants l'opportunité de se défaire*
> *« légitimement » de l'opposition islamiste.*

Il est vain de spéculer sur ce qu'aurait donné une cohabitation entre le président Chadli Bendjedid et un gouvernement du FIS sous la houlette de Hachani, puisque la volonté militaire en a décidé autrement. Il faut pourtant garder à l'esprit que c'est la tendance la « moins intégriste » au sein du FIS qui était parvenue à la victoire en adhérant au processus électoral. Ce qui justifie encore moins le coup d'État militaire. Cette évolution du FIS ne prend toutefois pas fin avec le coup d'État ainsi que l'illustrera la signature de la plate-forme de Rome en janvier 1995. Elle ouvre aussi, à son corps défendant, la voie au terrorisme.

LES ISLAMISTES ARMÉS EN 1992

On vient de voir combien le FIS, dès sa fondation, est le lieu de divisions internes. À certains moments charnières, elles aboutissent à l'éclatement. C'est le cas immédiatement après la grève de mai-juin 1991 et l'arrestation de ses deux leaders. On l'a dit, mais il n'est pas inutile de le rappeler, cet épisode a donné lieu à une répression militaire sanglante contre les militants

qui occupaient les rues d'Alger et à de nombreuses
arrestations. D'autres militants sont en fuite. Certains
prennent contact avec les anciens compagnons de
Bouyali[16], fondateur du premier mouvement islamique
algérien (MIA). Des divergences apparaissent rapidement entre eux : les uns préconisent une organisation
militaire sur le modèle de l'Armée de libération nationale de la guerre d'indépendance contre la puissance
coloniale tandis que d'autres prônent la mise en place
de la stratégie de la terreur afin de « priver le pouvoir
de tous ses supports idéologiques[17] ». Mais il faudra at-
tendre le coup d'État et ses prolongements pour qu'elles
prennent corps.

Après l'interruption du processus électoral le
11 janvier 1992, va se déployer ce que d'aucuns appellent « la guerre des mosquées » grâce à la mise en
application de la *Loi sur les rassemblements aux abords
des mosquées* qui est décidée le 20 janvier. Elle constitue une véritable provocation puisque les jours suivants
le coup d'État sont relativement calmes et le FIS ne
parvient pas à mobiliser la population contre le Haut
Comité d'État (HCE) qui vient d'être mis en place. Un
arrêté de *wilaya* (préfecture) ordonne alors l'interven-
tion des forces de l'ordre contre ceux qui transgressent
la quiétude des passants… Pendant quatre semaines,
chaque vendredi sera un « vendredi noir » avec des dizaines de morts, des centaines de blessés et des milliers
d'arrestations. En février l'état d'urgence est décrété et
les camps du Sud sont ouverts.

Si les électeurs du FIS sont restés relativement indifférents à son sort dans l'immédiat après 11 janvier, la *Loi contre les rassemblements aux abords des mosquées* va, elle, réussir à établir une jonction entre les islamistes et les musulmans (les pratiquants de la religion islamique) qui ont éventuellement voté pour le FIS. Touati l'explique ainsi :

> *La grève de juin a largement démontré que les électeurs du FIS ne sont pas disposés à se mobiliser pour lui au-delà du vote. [...] Cette attitude de l'électeur FIS pourrait se résumer comme suit : voter pour le Front islamique du salut, qui reste un sigle comme un autre, non identifiable dans le corpus coranique ni dans le vocabulaire général du musulman, constitue un acte politique nettement différent de l'acte religieux que suppose le* djihad *qui, lui, ne peut se concevoir que dans la mesure où apparaissent en danger l'Islam, sa pratique, ou ses symboles. Or, en s'attaquant aux mosquées, en violant la « maison de Dieu », en arrêtant prédicateurs et islamistes (l'engrenage est rapidement tel que, souvent, ni les uns ni les autres n'appartiennent au FIS), le pouvoir consacre la cause de son adversaire, qui devient ainsi la cause de l'Islam et élargit le cercle de la contestation islamiste aux populations musulmanes*[18].

Le FIS est officiellement dissous en mars 1992. Entre-temps, en plus des morts et des arrestations, on assiste au remplacement des édiles fisistes par des fonctionnaires de l'État dans les municipalités, à l'interdiction des très nombreuses associations civiles liées au FIS (organisations caritatives, comités des lieux de culte, etc.), à l'arrestation des journalistes qui travaillaient dans la presse islamiste tandis que les imams dans les mosquées sont à nouveau des « imams étatisés ». Les « barbus » se rasent pour échapper aux tracasseries policières… L'islamisme est apparemment « éradiqué » : il n'a plus le moindre espace politique.

Il se redéploie donc militairement en « unités opérationnelles » non structurées contre « l'État impie » qui font sporadiquement le « coup de feu » contre ses symboles et ses suppôts (gendarmes et policiers), puis, au printemps 1993 contre des cibles apparemment choisies (intellectuels, journalistes). Ils ne sont identifiés que comme des « islamistes ». Les sigles n'apparaîtront que plus tard. L'AIS (l'Armée islamique du salut), qui incarnerait la tendance qui vise à reproduire le modèle de l'ALN de la guerre de libération, est créée en juillet 1994. Elle sera présentée par la Sécurité militaire, et donc par les médias, comme le bras armé du FIS. Il semblerait pourtant que l'AIS n'aurait fait allégeance qu'à la tendance « salafiste » du FIS, celle qui a été mise en difficulté par la « révolution de minaret » opérée par Hachani en juillet 1991. Et ceux que les médias, au fil des événements, désigneront sous le signe des GIA (groupes islamiques armés). Ils seraient composés de dizaines de groupes indépendants les uns des autres, sinon hostiles les uns aux autres. La rumeur voulant qu'ils soient largement infiltrés par la Sécurité militaire (police politique) n'a jamais été, par la force des choses, démentie.

Les maquis, alimentés par les jeunes qui y « montent » pour échapper à la répression de l'armée après son coup d'État, s'implantent dans la Mitidja (non loin d'Alger). Puis l'AIS délaisse cette région – ou en est délogée – pour s'implanter à l'intérieur du pays. Reste que des affrontements entre maquisards islamistes ont cours pour le « contrôle de la Kabylie », la seule région à ne pas avoir majoritairement voté FIS, bien que, selon Khelladi[19], la plupart des chefs successifs des GIA comme de l'AIS soient berbérophones. Même si le phénomène islamiste reste largement arabophone, cette donnée illustre, ainsi que le fait remarquer cet auteur, « de façon patente l'insuffisance des arguments linguistico-régionaux superficiels (arabophones/ berbérophones) pour rendre compte de la genèse et de l'articulation de la guérilla islamique algérienne ».

LE VIVIER DE L'ISLAMISME

Dès janvier 1992, des milliers de militants du FIS et de « musulmans » sont arrêtés. En particulier dans les villes[20]. Ils sont internés, sans procès, dans des camps au sud du pays pour des mois sinon des années. Camps qui constituent des « écoles de cadres », pour reprendre une autre terminologie. Mais, si la répression s'abat immédiatement sur eux, il semble que jusqu'en avril 1993,

> date à laquelle le pouvoir lança dans la ba-
> taille les 15 000 hommes de la force « antiter-
> roriste » créée fin septembre 1992 sous
> l'autorité du général Lamari, les sympathi-
> sants du FIS restèrent en grande majorité dans
> l'attente d'un accord entre les islamistes et
> l'armée[21].

Et cela, malgré la frustration des jeunes spoliés de « leur » victoire électorale de décembre 1991. Frustration d'autant plus vive que la mobilisation suscitée par le FIS depuis les élections municipales de juin 1990 leur apportait une ouverture à la situation d'anomie dans laquelle ils vivaient jusqu'alors, les insérait dans un cadre politique[22]. Étant donné la faillite de l'« État » algérien en la matière depuis l'indépendance du pays en 1962, cette réussite du FIS n'était pas mince. Dans un article précédent[23], pour expliquer l'intrusion rapide du FIS dans la cité des Eucalyptus, dans laquelle il enquête, et son succès auprès des jeunes, Martinez formule l'hypothèse qu'ils tenaient au fait que le parti islamique « a fourni à ces néo-citadins l'occasion et les moyens d'échapper aux rapports sociaux codifiés par la reconstruction des *douars* ».

La cité des Eucalyptus est en effet habitée par de nombreuses familles de l'est du pays, peu intégrées à la vie urbaine de la capitale. À l'initiative de la génération des parents, elles y rétablissent différents petits villages (*douars*) à partir d'alliances familiales ou de réseaux régionaux. Leurs jeunes gens, en participant à des meetings ou à des manifestations organisées, durant les années 1989-1991, dans différents stades et dans diverses mosquées de la capitale, entrent en contact avec d'autres jeunes d'origines sociales et régionales diversifiées. Le FIS constitue donc « un instrument de socialisation et d'intégration par le politique pour ces jeunes "banlieusards" issus des classes populaires[24] ».

Cette observation de Martinez met en évidence un élément trop peu souvent pris en considération : le mouvement islamique est avant tout un mouvement de jeunes. Et ce mouvement de jeunes islamiques est susceptible de s'inscrire dans une recherche d'autonomisation à l'égard du carcan que constituent les « relations traditionnelles », soit, le plus souvent, les rapports sociaux instaurés par la famille agnatique décomposée[25]. Rapports sociaux d'autant plus étouffants pour les jeunes qu'ils tentent désespérément de pallier la décomposition de la structure familiale « traditionnelle ». On doit ici enregistrer un des paradoxes véhiculés par le FIS : sa référence au religieux le range dans la prémodernité, mais la contestation pratique des valeurs familiales établies qu'il suscite l'inscrit dans la modernité, dans la valorisation de l'individu en rupture avec sa famille et les inscriptions communautaires sur lesquelles son état de délabrement l'amène à se figer.

D'autant plus que ce travail de sape, s'il concerne les jeunes gens dans l'analyse que les observations de Martinez proposent, est également à l'œuvre du côté des jeunes femmes, ainsi que le donne à penser l'enquête effectuée par Djedjiga Imache et Inès Nour[26] auprès d'étudiantes universitaires. Zakya Daoud[27], qui en a rédigé la préface, a été frappée par la similitude des réponses entre voilées et non-voilées. Mais cette similitude est loin de marquer une régression dans l'appréhension des rapports sociaux entre les sexes. Daoud précise :

> *Des voilées et des non-voilées veulent être des propagatrices actives de la religion, mais aussi des femmes qui réussissent à la fois leur vie professionnelle et conjugale, des femmes libres et épanouies. Ce faisant, elles détournent la confrontation homme-femme à leur profit, ne voient aucun empêchement à entrer en compétition avec l'univers masculin, et se démarquent donc de l'ordre traditionnel, d'ailleurs condamné par l'islamisme*[28].

Tant des jeunes femmes que des jeunes hommes utilisent l'« islamisme politique » pour marquer leur distance à l'égard de la tradition communautaire, pour apparaître dans un espace politique. Un espace politique inattendu par les canons de la modernité occidentale tels qu'ils sont perçus aujourd'hui par des Occidentaux devenus, ou en passe de devenir, des « postmodernes ». L'important en cette occurrence étant moins la soumission ou non aux canons de la modernité telle qu'elle est occidentalement définie que la possibilité d'« apparaître » dans un espace qui, grâce à cette apparition même, peut être tenu pour politique dans un pays qui en a été jusqu'alors dépourvu.

Il n'y a pas lieu de négliger non plus le fait que les valeurs moralisatrices mises de l'avant par le mouvement islamique – contre la mixité, l'alcool, le tabac, etc. – étaient plutôt bien reçues par des jeunes à qui elles permettaient de faire « contre mauvaise fortune, bon cœur ». La crise du logement est telle que, pour beaucoup, elle repousse le mariage aux calendes grecques et la crise économique ne leur permet d'acheter ni cigarettes, ni vin, ni whisky. Adhésion des jeunes qui, en cette occurrence, satisfait les parents.

Il faut encore enregistrer que la religion peut être utilisée comme un argument pour promouvoir le mariage d'inclination[29]. Ce puissant facteur d'individuation est utilisé par des jeunes filles pour mettre leurs parents devant le fait accompli : ils ne peuvent s'opposer à leur mariage avec un « bon musulman[30] ». « Bon musulman » à qui elles peuvent rappeler – texte à l'appui que désormais elles lisent elles-mêmes – combien le Prophète aimait les femmes et veillait à leur promotion[31]. Rappel auquel la connaissance que le « bon musulman » a lui-même du texte ne peut laisser insensible. Khalida Messaoudi, l'éradicatrice algérienne la plus médiatisée, ne me contredirait pas sur cet usage du mariage que rend possible l'adhésion à un islam militant[32].

Si ce qui vient d'être décrit illustre des aspects susceptibles d'expliquer le succès du FIS auprès des jeunes avant le coup d'État, il va sans dire que son avènement et la répression qu'il a générée sont, pour leur part, des éléments qui expliquent la diffusion du terrorisme islamiste. Je suivrai une fois encore la perspective de Martinez[33] qui articule bien deux aspects complémentaires. Le premier renvoie à la déchéance des militants politiques :

> *la furieuse répression exercée par les forces de l'ordre (pratique généralisée de la torture, représailles contre les populations suspectées, dynamitage des maisons, etc.) a pour effet de marginaliser les tenants d'une réconciliation nationale. Ceux des militants de l'ex-FIS qui ne s'engagent pas dans les rangs de l'AIS se voient relégués à un rôle mineur, voire nul dans les cités. Même ceux qui, passés par les camps de détention mis en place dans le sud du pays au moment de l'annulation des élections, jouissaient du statut de « martyrs », n'occupent plus la fonction de représentants des populations locales : l'échec de leur stratégie d'accès au pouvoir les en a déchus. Ils sont condamnés pour avoir cru aux promesses du gouvernement sur le respect des élections. Ils apparaissent comme des perdants pour leur électorat […]. Cette relégation des militants de l'ex-FIS à un rôle inconsistant touche tout autant les responsables nationaux que les élus locaux.*

Relégation politiquement justifiée, si l'on peut dire, qui entre immédiatement en résonance avec un vieux démon de la scène publique algérienne historiquement non politique : la violence et le combattant qu'elle suscite. Par la force de l'héritage historique qui conjugue à la fois la période coloniale et celle de la guerre pour l'indépendance qui en découle, ce combattant est un *moudjahid*, soit un « combattant de la foi ». On se reportera aux chapitres antérieurs pour garder à l'esprit que cette association entre le combat et la foi religieuse est une donnée récurrente dans l'histoire algérienne qui ne doit pas être renvoyée à un atavisme génétique : l'islam méprisé par la puissance coloniale a été érigé en garde-fou de l'identité bafouée. Avec le coup d'État qui met un terme, semble-t-il, à la possibilité qu'émerge une politisation moderniste du religieux, ce personnage peut être réactivé par ceux qui peuvent aisément conclure que l'islam reste méprisé par les détenteurs du pouvoir qui l'imposent par la force. Ce « combattant de la foi », souvent âgé entre 16 et 18 ans, est, après 1992, selon Martinez,

> *le principal instigateur de la guérilla islamiste en milieu urbain, le produit de la répression et de la pauvreté. Car c'est dans la violence contre le pouvoir qu'il trouve les moyens d'échapper aux arrestations arbitraires, de subvenir aux besoins des siens et de son quartier. L'incarcération des cadres de l'ex-FIS (environ 15 000 arrestations en février 1992) afin de décapiter le mouvement après sa dissolution, suivie de la répression contre leur entourage, propulse au premier rang de la lutte armée contre le pouvoir des adolescents, témoins précoces, mais vite expérimentés de la « violence institutionnelle ». Totalement dépourvus de connaissances « islamistes » lors de leur engagement car leur formation politico-*

*religieuse se déroulera parallèlement à leur
entreprise guerrière, leur action se nourrit de
la haine que suscite la mort d'un frère ou d'un
proche*[34].

Là est le triomphe du militaire : tandis qu'une ouverture de l'espace politique s'esquissait cahotique-
ment, tandis qu'aurait pu commencer à se formuler la
question de savoir « comment penser une société qui
réclame l'islam ?[35] », le coup d'État militaire qui met
fin au processus électoral et interdit le FIS, l'expression
politique du mouvement islamique, pousse les jeunes,
réduits au silence politique, à recourir à l'usage des
armes et de la violence, à eux-mêmes se militariser. La
spirale de la violence s'ouvre, elle ne fera que
s'amplifier.

LA PLATE-FORME DE ROME

Dans l'allocution qu'elle a prononcée au Parlement
européen, à Strasbourg en décembre 1997, lors de sa
réception du prix Sakharov des droits de l'homme,
Salima Ghezali – la directrice de l'hebdomadaire *La
Nation*, le seul journal algérien indépendant, et pour
cela même, suspendu de publication depuis plus d'un
an – rappelait :

> *J'ai l'intime conviction que l'histoire et les
> Algériens épris de paix et de démocratie retien-
> dront que l'initiative de Sant'Egidio de réunir
> et de faire négocier toutes les tendances politi-
> ques algériennes restera comme la première*

> *proposition lucide et orientée vers l'avenir qui*
> *soit venue offrir à l'Algérie la possibilité de se*
> *réconcilier avec elle-même et avec le reste du*
> *monde.*

Elle ajoutait aussitôt : « La levée de boucliers des partisans du choc des civilisations et le silence des autres auront seulement réussi à démontrer qu'aujourd'hui comme hier le courage et la liberté de l'esprit consistent d'abord à oser[36] ».

Salima Ghezali souligne ainsi, dans le style mesuré qui est le sien – sa mesure étant à la hauteur de son courage intellectuel –, et les enjeux de cette initiative politique et la mauvaise foi de la « communauté internationale ». Avec elle, je m'efforcerai ici, une nouvelle fois[37], de m'accrocher à la première malgré la seconde, aujourd'hui décuplée par le tourisme politique qui se déploie depuis le début de l'année 1998[38]. Il se peut que cette occasion perdue le soit à jamais, mais s'il était une chance de la réactiver en tenant compte de la conjoncture qui lui a succédé et de la conjoncture présente, il faudrait oser la saisir.

La rencontre de Rome était importante parce qu'elle signifiait que chacun des trois fronts – le Front de libération nationale, le Front des forces socialistes et le Front islamique du salut qui, chacun représente, ainsi que le formule Stora[39], une « tendance lourde » dans l'histoire de l'Algérie : le nationalisme arabe, la berbérité et l'islam – avait senti le besoin de se concerter pour tenter de mettre fin à la situation tragique enclenchée par le coup d'État militaire et la violence qui s'ensuivit. Cela signifiait que, en rupture avec le passé, chacun des fronts avait pris acte qu'il ne pouvait, seul, proposer une solution satisfaisante. Quelles que soient les tiédeurs que l'on puisse reprocher à ce texte[40], il a avant tout le mérite d'exister, de concrétiser l'effort de parvenir à formuler une plate-forme minimale malgré les « dissensus » qui entourent les positions des uns et des autres. Tiédeurs qui ne cèdent pourtant pas sur des points capitaux : reconnaissance du suffrage universel et de l'alternance politique dont elle est porteuse ; reconnaissance de la pluralité marquée par l'appartenance de « race », de sexe, de confession et de langue.

Que la tendance technocratique du FIS ait apposé sa signature au bas de ce document s'inscrit dans la logique de la « révolution de minaret » qui a suivi l'échec de la grève de mai-juin 1991, l'arrestation des leaders du « FIS historique » et la participation aux élections législatives sous la houlette de Hachani. Mais cette logique, on l'a vu, a été contrecarrée par le coup d'État militaire du 11 janvier 1992 qui a non seulement spolié ce FIS-là de sa victoire électorale, mais qui est parvenu à disqualifier les militants qui s'en réclamaient aux yeux des jeunes les plus radicaux. En signant la plate-forme de Rome, le FIS confirmait donc une nouvelle fois son option pour le politique plutôt que pour le militaire. Que cette option se soit imposée par une évaluation rationnelle du rapport des forces – le FIS était incapable de contrôler le terrorisme – est, en soi, difficilement critiquable. Si opportunisme il y avait – et opportunisme il y avait dans cette évaluation-là –, il faut pourtant concéder que la discussion avec les deux autres « fronts » constituait la solution la plus politique possible. Le FIS aurait pu rechercher deux autres sorties de crise : ou tenter de récupérer les GIA en faisant de la surenchère sur le terrain du terrorisme ou tenter de négocier directement avec l'armée. Rien n'exclut que des tentatives n'aient été faites dans ces deux directions. Toujours est-il que la signature du FIS au bas de la plate-forme de Rome représentait une initiative qui n'embrassait pas une solution exclusivement terroriste ni une solution à la soudanaise. Elle était la moins facile puisqu'elle était la seule qui relevait du politique.

En signant cette plate-forme avec le FLN et le FFS, le FIS reconnaissait alors implicitement qu'il était incapable d'imposer une alternative au régime militaire et qu'il renonçait à l'établissement d'un État islamique. Que cette renonciation ait été un leurre, un guet-apens, dans lequel les deux autres « fronts » sont tombés, rien ne permet de l'exclure. Reste que leur rouerie politicienne n'a sans doute rien à envier à celle du FIS technocratique. On peut pourtant raisonnablement considérer que, au vu des scores électoraux qu'ils étaient parvenus à réaliser en décembre 1991 et à la réaction de l'armée en janvier 1992, sans compter leur inquiétude suscitée par la spirale de la violence dans laquelle s'engouffrait le pays, Aït Ahmed (FFS) et Abdelhamid Mehri (FLN) en soient arrivés à parier que la sortie de crise passait par des négociations avec le FIS.

La presse algérienne a immédiatement hurlé à l'« ingérence étrangère » dans les affaires d'un « État souverain », puisque la rencontre avait eu lieu à Rome ; certains journaux ne résistèrent pas au grotesque d'évoquer une nouvelle « croisade » de l'Occident chrétien, puisque les signataires avaient reçu l'hospitalité dans un couvent romain. La presse québécoise n'a pas été en reste. La visite de maître Ali Yahia a fourni à Richard Martineau et à Robert Lévesque l'occasion d'écrire un article odieux, l'un dans *Voir* et l'autre dans *Le Devoir* en mai 1995[41]. L'initiative a suscité peu d'échos auprès des gouvernements occidentaux[42]. Elle a essuyé une fin de non-recevoir de la part du régime algérien qui prétendait pourtant poursuivre l'objectif d'un « retour à la paix » et qui en a profité pour limoger Mehri, le secrétaire général du FLN qui avait signé la plate-forme. À propos de sa présence à Rome, qui semblait suspecte aux gouvernements occidentaux, Provost rétablit les faits de la manière suivante :

> *L'instauration du multipartisme en 1988 avait dans un premier temps ôté son statut privilégié à l'ex-parti unique, et cet affaiblissement avait été rendu d'autant plus évident par la légalisation du FIS, sorti tout-puissant des émeutes d'octobre[43]. La reprise en main autoritaire qui a suivi l'annulation des élections de 1991 a, de nouveau, contribué à brouiller les cartes. Ce coup d'État semblait a priori aller dans le sens des intérêts du FLN, puisqu'il permettait d'éviter toute alternance et que les hommes au*

> *pouvoir restaient des personnalités issues de ce parti. Mais c'est oublier un peu vite qu'appartenir au FLN ne signifie pas grand-chose, ce parti ayant fini par regrouper tout et n'importe quoi, des « éradicateurs » aux sympathisants islamistes. Dans les derniers mois de 1991, le régime avait d'ailleurs nui à l'ex-parti unique, souhaitant réorganiser ses bases de soutien pour en être moins dépendant[44]. […] Bien que deuxième en nombre de voix, le FLN n'a d'ailleurs jamais appelé à l'annulation des élections. Après un certain flottement pendant la première année de répression, ce parti a logiquement cherché à prendre ses distances avec le régime. Sa participation active au processus de Sant'Egidio en a été le témoignage le plus probant. Mais l'ambiguïté de ses liens avec le pouvoir n'a en fait jamais totalement disparu[45].*

Ce rejet de toute discussion avec les signataires de la plate-forme de Rome peut sembler d'autant plus étonnant qu'en janvier et en octobre 1994, mais encore en juin 1995, le régime ouvre des « négociations » avec les « islamistes ». Elles dérapent à chaque fois, pour une raison ou pour une autre. À ce moment, à l'été 1995, Lahouari Addi écrivait :

> *La stratégie des militaires consiste […] à affaiblir militairement les islamistes pour, en position de force, négocier avec eux. C'est ce qui explique le caractère du conflit algérien marqué par un dialogue incessant dans lequel tout*

> *serait à négocier, sauf le véritable enjeu de la*
> *crise : le pouvoir.* [...] *Il faut* [...] *remarquer*
> *que ce ne sont pas des divergences idéologi-*
> *ques qui opposent l'armée aux islamistes.*
> *L'armée ne défend pas un régime laïc ; elle*
> *s'est constituée, historiquement, comme source*
> *du pouvoir et elle entend bien le demeurer. Les*
> *islamistes luttent pour renvoyer les actuels offi-*
> *ciers supérieurs et les remplacer par les leurs.*
> *C'est pourquoi, dans l'immédiat, une négocia-*
> *tion entre les militaires et les islamistes n'a*
> *aucune chance d'aboutir. Les uns et les autres*
> *se sentent suffisamment puissants pour rem-*
> *porter une victoire militaire en écrasant*
> *l'adversaire. Avec une cohésion minimale de*
> *l'armée et une aide financière des pays occi-*
> *dentaux, le régime en place peut encore tenir*
> *des années, et les islamistes trouveront tou-*
> *jours des volontaires pour les maquis*[46].

En rejetant la plate-forme de Rome, le régime signifiait donc clairement son refus de reconnaître une opposition politique civile, sa persistance à cantonner le FIS dans un rôle de parti religieux, et qui plus est, violent. Ainsi, les négociations réamorcées en juin 1995 visaient à amener le FIS à participer aux élections présidentielles de novembre 1995, en dépit de sa signature de la plate-forme de Rome. Ce qu'il a décliné. Là n'est peut-être pas la seule explication, mais force est de constater que les signataires de la plate-forme n'ont finalement pas présenté un candidat à ces élections et en ont appelé à leur boycott. Ce qui les a placé en porteà-faux à l'égard de la population algérienne qui a voulu voir dans ces élections l'occasion d'exprimer son refus de la violence.

L'ARMÉE ET LA RENTE DU TERRORISME

Pour Addi, le principal défaut de la plate-forme de Rome réside dans la septième et dernière mesure qu'elle préconise : « La constitution d'une commission indépendante pour enquêter sur ces actes de violence et les graves violations des droits de l'homme. » Il considère alors en effet que, s'agissant de faits de guerre, il faut faire primer le désir de paix sur le désir de justice : « Il ne s'agit pas de venger ceux qui sont morts mais de sauver la vie à ceux qui, par miracle, sont encore en vie. Si demeure vivace l'esprit de vengeance, le conflit continuera[47]. »

Lucile Provost abonde dans le même sens : « Certains généraux y ont vu le risque de procès concernant la politique de répression menée depuis quatre ans ». Mais elle ajoute aussitôt qu'ils y auraient aussi vu « l'intention de remettre en cause les principes de la gestion de la rente dont ils bénéficient traditionnellement ». Elle vise ici directement la rente pétrolière et gazière. Il est devenu communément admis – Bernard-Henry Lévy lui-même le reconnaît[48] – que si l'armée se montre incapable de protéger la population civile des massacres attribués aux islamistes, malgré les mesures d'éradication prises à leur encontre, elle s'est cependant bien acquittée de la mission de protéger les installations pétrolières et gazières.

Il faut toutefois aussi enregistrer que la lutte contre le terrorisme dont se revendique l'armée algérienne est un excellent argument pour accorder des prêts et des aides financières à l'Algérie. Comme le rapporte Serge Marti[49], depuis que le Fonds monétaire international a accepté, en mai 1995, de lui octroyer une « facilité de paiement élargie de 1.8 milliard de dollars en échange de la restructuration de l'outil de production », de nombreuses entreprises étrangères, dont des entreprises canadiennes, investissent en Algérie, en particulier, mais pas uniquement, dans le pétrole. Le rapport du FMI de juin 1997 était élogieux pour le régime algérien. Il consacrait deux lignes à « la sécurité et la stabilité politique » destinées à favoriser « les investissements étrangers et les transferts de technologie nécessaires au développement du secteurs privé ».

Cette « aide » internationale, qu'elle vienne du FMI, de la Banque mondiale, du Club de Paris ou de divers gouvernements, est largement utilisée pour alimenter la répression contre une population civile toujours insoumise – les résultats, même truqués, des consultations électorales qui se sont multipliées depuis novembre 1995, ne peuvent le cacher. Entre-temps, les bailleurs de fonds ne se font pas faute d'imposer leurs « ajustements structurels ». Ce qui a pour effet d'accroître le chômage déjà massif et d'augmenter très lourdement le prix des biens de première nécessité. La population algérienne n'a jamais connu depuis l'indépendance un tel dénuement[50].

Les villages martyrs de la Mitidja, là où ont eu lieu les massacres de la fin de l'été 1997 – en plus d'être des villages qui avaient massivement voté FIS en 1990 et en 1991 –, sont situés sur des terres actuellement nationalisées et destinées à être privatisées. Les habitants des villages voisins, terrorisés et tout à fait conscients de ne pouvoir compter sur la protection des « forces de sécurité » pourtant encasernées à proximité, prennent le chemin de l'exode. Quittant leurs terres qui deviennent dès lors disponibles pour la spéculation de ceux qui sont en position et ont les moyens de spéculer.

La « lutte contre le terrorisme », généreusement arrosée par l'« aide » internationale, finira, peut-être, par disciplinariser les Algériennes et les Algériens à l'aune de la mondialisation et de la délocalisation des entreprises toujours à la recherche de la main-d'œuvre la plus corvéable. N'est-ce pas là le souci des gouvernements occidentaux, et notamment du gouvernement canadien prêt à envoyer une « mission commerciale » en Algérie sur les traces de sa mission parlementaire ? Le « terrorisme », qui constitue la « pompe à fric » de l'« Algérie utile », celle des investisseurs étrangers et des Algériens qui en tirent profit, n'est donc pas prêt d'être « résiduel ». D'autant plus que, s'il parvenait à être « éradiqué », le régime ne pourrait plus brandir cette menace à l'intérieur et serait probablement confronté à des « émeutes de la faim » qu'il serait incapable de maîtriser.

Cela, dans un climat qui, par ses soins, en est un de « délitement » du lien social. Si l'armée protège efficacement le « pays utile » – les installations pétrolières et gazières –, elle n'a pas les effectifs suffisants pour protéger la population. Aussi a-t-elle délégué cette mission aux « gardes communaux », puis, plus largement aux milices anti-islamistes, les dénommés « patriotes ». L'existence de ces milices repose sur un enchaînement de circonstances qui illustre la faillite d'une armée qui a accompli un coup d'État pour protéger une population contre ses propres « démons ».

Des villageois et des habitants de quartiers populaires dans les villes en avaient assez d'être soumis à une double pression : ils étaient rançonnés par les maquisards islamistes auxquels ils étaient contraints de fournir argent, armes, hébergement, ravitaillement, etc., et ils étaient ensuite violemment réprimés par les gendarmes et les soldats parce qu'ils avaient cédé aux exigences des premiers. D'où la tentation de prendre leur sort en main. Celle-ci a été vivement encouragée par le régime qui trouvait là le moyen de se laver les mains du sort des civils. Aussi a-t-il distribué des armes aux « patriotes ». Ce qui a eu pour effet de démultiplier le nombre de morts. Mais surtout, cela a eu pour effet de faire sauter tout interdit à propos du meurtre. La vie humaine n'a plus de prix. À côté des tueries ou des attentats à teneur « idéologique » de l'un et l'autre bords (« islamiste »/« anti-islamiste »), on assiste à une « gangstérisation » de la guerre, à des règlements de compte immédiatement « privés ». Dans le climat de violence généralisé, un voisin ou un cousin devient une cible sous n'importe quel prétexte. Y compris la remontée de souvenirs mal enfouis dans la mémoire historique collective. D'autant plus que la presse « indépendante » n'a rien trouvé de mieux que de désigner les actuels « ennemis de la Nation » des termes de « harkis » ou de « fils de harkis » (voir chapitre 1). Inutile d'encore rappeler ici que les massacres dans la Mitidja à la fin de l'été 1997 et dans l'Ouarsenis pendant le ramadan 1998 ont été perpétrés contre des électeurs et des électrices du FIS.

Ce n'est pas « l'Histoire » qui justifie la violence actuelle. Encore moins un gène violent qui sommeillerait en tout Algérien. Mais, la violence actuelle, débridée – parce qu'il n'y a pas d'État qui assume sa fonction de protéger les Algériens et les Algériennes à l'intérieur des frontières nationales, parce qu'il n'y a pas d'État pour exercer la « violence légitime » –, peut utiliser n'importe quel prétexte, dont « l'Histoire », pour se donner libre cours. On est en présence d'une désagrégation du lien social qui exigera beaucoup de temps pour être remaillé.

ANNEXE I

LA PLATE-FORME DE ROME[1]

Les partis de l'opposition algérienne, réunis à Rome auprès de la Communauté de Sant'Egidio, déclarent en ce 13 janvier 1995 :

L'Algérie traverse aujourd'hui une épreuve tragique sans précédent. Plus de trente ans après avoir chèrement payé son indépendance, le peuple n'a pas pu voir se réaliser les principes et tous les objectifs du 1er novembre 1954 et a vu s'éloigner progressivement tous les espoirs nés après octobre 1988.

Aujourd'hui le peuple algérien vit un climat de terreur jamais égalé, aggravé par les conditions sociales et économiques intolérables. Dans cette guerre sans images : séquestrations, disparitions, assassinats, torture systématisée, mutilations et représailles sont devenus le lot quotidien des Algériennes et des Algériens.

Les conséquences des événements de juin 1991 et du coup d'État du 11 janvier 1992, l'interruption du processus électoral, la fermeture du champ politique, la dissolution du FIS, l'instauration de l'état d'urgence et les mesures répressives et les réactions qu'elles ont suscitées, ont engendré une logique d'affrontement.

Depuis, la violence n'a cessé de s'amplifier et de s'étendre. Les tentatives du pouvoir de créer des milices au sein de la population marquent une nouvelle étape dans la politique du pire. Les risques de guerre civile sont réels, menaçant l'intégrité physique du peuple, l'unité du pays et la souveraineté nationale.

L'urgence d'une solution globale, politique et équitable s'impose afin d'ouvrir d'autres perspectives à une population qui aspire à la paix et à la légitimité populaire.

Le pouvoir n'a initié que de faux dialogues qui ont servi de paravents à des décisions unilatérales et à la politique du fait accompli.

Une véritable négociation reste l'unique moyen de parvenir à une issue pacifique et démocratique.

A. CADRE : VALEURS ET PRINCIPES

Les participants s'engagent sur la base d'un contrat national dont les principes sont les suivants et sans l'acceptation desquels aucune négociation ne serait viable :

- La déclaration du 1er novembre 1954 : « la restauration de l'État algérien souverain démocratique et social dans le cadre des principes de l'Islam » (art. 1).
- Le rejet de la violence pour accéder ou se maintenir au pouvoir.
- Le rejet de toute dictature quelle que soit sa nature ou sa forme et le droit du peuple à défendre ses institutions élues.
- Le respect et la promotion des droits de la personne humaine tels qu'énoncés par la Déclara-

tion universelle, les pactes internationaux sur les droits de l'homme, la convention internationale contre la torture et consacrés par les textes légaux.

– Le respect de l'alternance politique à travers le suffrage universel.

– Le respect de la légitimité populaire. Les institutions librement élues ne peuvent être remises en cause que par la volonté populaire.

– La primauté de la loi légitime.

– La garantie des libertés fondamentales, individuelles et collectives quels que soient la race, le sexe, la confession et la langue.

– La consécration du multipartisme.

– La non-implication de l'armée dans les affaires politiques. Le retour à ses attributions constitutionnelles de sauvegarde de l'unité et de l'indivisibilité du territoire national.

– Les éléments constitutifs de la personnalité algérienne sont l'islam, l'arabité et l'amazighité ; la culture et les deux langues concourant au développement de cette personnalité doivent trouver dans ce cadre unificateur leur place et leur promotion institutionnelle, sans exclusion ni marginalisation.

– La séparation des pouvoirs législatif, exécutif et judiciaire.

– La liberté et le respect des confessions.

B. MESURES DEVANT PRÉCÉDER
LES NÉGOCIATIONS

1. La libération effective des responsables du FIS et de tous les détenus politiques. Assurer aux dirigeants du FIS tous les moyens et garanties nécessaires leur permettant de se réunir librement entre eux et avec tous ceux dont ils jugent la participation nécessaire à la prise de décision.

2. L'ouverture du champ politique et médiatique. L'annulation de la décision de dissolution du FIS. Le plein rétablissement des activités de tous les partis.

3. Levée des mesures d'interdiction et de suspension des journaux, des écrits et des livres prises en application du dispositif d'exception.

4. La cessation immédiate, effective et vérifiable de la pratique de la torture.

5. L'arrêt des exécutions des peines capitales, des exécutions extra-judiciaires et des représailles contre la population civile.

6. La condamnation et l'appel à la cessation des exactions et des attentats contre les civils, les étrangers, et de la destruction des biens publics.

7. La constitution d'une commission indépendante pour enquêter sur ces actes de violence et les graves violations des droits de l'homme.

C. RÉTABLISSEMENT DE LA PAIX

Une dynamique nouvelle pour la paix implique un processus graduel, simultanée et négociée comprenant :

- d'une part, des mesures de détentes réelles : fermeture des camps de sûreté, levée de l'état d'urgence et abrogation du dispositif d'exception ;
- d'autre part, un appel urgent et sans ambiguïté pour l'arrêt des affrontements. Les Algériennes et les Algériens aspirent au retour rapide à la paix civile. Les modalités d'application de cet engagement seront déterminées par les deux parties en conflit avec la participation active des autres partis représentatifs. Cette dynamique exige la participation pleine et entière des forces politiques représentatives et pacifiques. Celles-ci sont en mesure de contribuer au succès du processus en cours et d'assurer l'adhésion de la population.

D. RETOUR À LA LÉGALITÉ CONSTITUTIONNELLE

Les partis s'engagent à respecter la Constitution du 23 février 1989. Son amendement ne peut se faire que par les voies constitutionnelles.

E. LE RETOUR À LA SOUVERAINETÉ POPULAIRE

Les parties présentes aux négociations doivent définir une légalité transitoire pour la mise en œuvre et la surveillance des accords. Pour cela, elles doivent mettre en place une conférence nationale dotée de compétences réelles, composées du pouvoir effectif et des forces politiques représentatives.

Cette conférence définira :

- Les structures transitoires, les modalités et la durée d'une période de transition, la plus courte possible, devant aboutir à des élections libres et pluralistes qui permettent au peuple le plein exercice de sa souveraineté.

- La liberté de l'information, le libre accès aux médias et les conditions du libre choix du peuple doivent être assurés. Le respect des résultats de ce choix doit être garanti.

F. GARANTIES

Toutes les parties prenantes de la négociation sont en droit d'obtenir des garanties mutuelles.

Les partis, tout en gardant leur autonomie de décision :

- s'opposent à toute ingérence dans les affaires internes de l'Algérie ;

- dénoncent l'internationalisation de fait qui est le résultat de la politique d'affrontement menée par le pouvoir ;

- demeurent convaincus que la solution de la crise ne peut être que l'œuvre exclusive des Algériens et doit se concrétiser en Algérie ;

- s'engagent à mener une campagne d'information auprès de la communauté internationale pour faire connaître l'initiative de cette plate-forme et lui assurer un soutien ;
- décident de lancer une pétition internationale pour appuyer l'exigence d'une solution politique et pacifique en Algérie ;
- appellent la communauté internationale à une solidarité agissante avec le peuple algérien ;
- décident de maintenir les contacts entre eux en vue d'une consolidation et d'une concertation permanentes.

Pour la Ligue algérienne de la défense des droits de l'homme, Abdenour Ali Yahia

Pour le Front de libération nationale, Abdelhamid Mehri

Pour le Front des forces socialistes, Hocine Aït Ahmed ; Ahmed Djeddaï

Pour le Front islamique du salut, Rabah Kebir ; Anwar Haddam

Pour le Mouvement pour la démocratie en Algérie, Ahmed Ben Bella ; Khaled Bensmaïn

Pour le Parti des travailleurs, Louisa Hanoune

Pour Ennahada (Mouvement de la renaissance islamique), Abdallah Djaballah

Pour le Jazaïr musulmane contemporaine, Ahmed Ben Mohammed.

ANNEXE II

CHRONOLOGIE SOMMAIRE[1]

1830   Débarquement de l'armée française à Alger.

1848   La Constitution française proclame l'Algérie partie intégrante de la France.

1906   Début de la migration algérienne de travail vers la France.

1911   Décrets instituant le service militaire obligatoire pour les « musulmans ». Mouvement d'exode à Tlemcen et à Sétif.

1912   Manifeste Jeune Algérien.

1926   Création de l'Étoile nord-africaine (ENA) par Messali.

1931   Création à Alger de l'Association des ulémas musulmans algériens.

1937   Troisième dissolution de l'ENA – Création du Parti du peuple algérien (PPA).

1942   Débarquement des alliés en Afrique du Nord.

1944   Création par Ferhat Abbas des Amis du manifeste pour la liberté (AML).

1945   Fin de la seconde guerre mondiale. Manifesta-
        tions et émeutes violemment réprimées (Sétif ;
        Guelma).

1946   Création par Ferhat Abbas de l'Union démo-
        cratique du manifeste algérien (UDMA). Fon-
        dation par Messali Hadj du Mouvement pour le
        triomphe des libertés démocratiques (MTLD),
        structure légale du PPA.

1954   Crise au sein du MTLD. Début de l'« insurrec-
        tion » le 1er novembre.

1956   Congrès FLN de la Soummam.

1958   Création au Caire du Gouvernement provisoire
        de la République algérienne (GPRA), présidé
        par Ferhat Abbas.

1960   L'ONU reconnaît le droit de l'Algérie à
        l'autodétermination

1962   mars : cessez-le-feu ;
        juillet : proclamation de l'indépendance ;
        fin septembre : Ben Bella devient président du
        Conseil et Boumediene ministre de la Défense.
        Fondation du Parti de la Révolution algérienne
        (PRS) par Mohammed Boudiaf.

1963   Création du Front des forces socialistes (FFS)
        par Aït Ahmed. Arrestation de Boudiaf. Instau-
        ration du parti unique (FLN).

1964   Arrestation de Aït Ahmed.

1965   19 juin : coup d'État de Boumediene qui renverse Ben Bella.

1971   Nationalisation des hydrocarbures. Début de la « Révolution agraire ».

1976   Discussions « populaires » sur la Charte nationale ratifiée par référendum ; ratification d'une nouvelle Constitution ; élection du colonel Boumediene, candidat unique du FLN. Le dimanche est remplacé par le vendredi comme jour de congé.

1978   décembre : décès de Boumediene.

1979   Chadli Bendjedid, candidat unique imposé par l'armée, est « élu » président.

1980   avril : émeutes à Tizi Ouzou ; « Printemps berbère ».

1982   Premier rassemblement islamiste à Alger, dirigé par Soltani et Sahnoun.

1984   Adoption du code de la famille ; réélection de Chadli Bendjedid.

1986   Adoption de la nouvelle Charte nationale ; émeutes à Constantine et à Sétif ; chute du prix du pétrole.

1987   Moustapha Bouyali, émir du Mouvement isla-
        mique algérien (MIA), au maquis depuis 1979,
        est assassiné lors de son arrestation. 202 incul-
        pés islamistes comparaissent devant la Cour de
        sûreté de Médéa.

1988   octobre : émeutes, en particulier à Alger ; ré-
        pression de l'armée et proclamation de l'État
        de siège ; référendum sur la réforme constitu-
        tionnelle (multipartisme) ; réélection de Chadli
        Bendjedid.

1989   légalisation du Front islamique du salut (FIS).
        Multiplication des partis et des journaux.

1990   juin : victoire du FIS aux élections municipales.

1991   guerre du Golfe ; grève générale lancée par le
        FIS ; répression de l'armée et instauration de
        l'État de siège ; démission forcée du gouverne-
        ment Hamrouche (« réformateur ») ; arresta-
        tion de Abassi Madani et d'Ali Benhadj,
        leaders du FIS ; « révolution de minaret » au
        sein du FIS ; le 26 décembre, le FIS remporte
        le premier tour des élections législatives.

1992   janvier : Chadli Bendjedid est contraint à la
        démission ; annulation des élections législa-
        tives ; désignation par l'armée d'un Haut co-
        mité d'État (HCE) dirigé par Mohammed
        Boudiaf rappelé d'exil. Arrestation des respon-

sables et des militants du FIS. Ouverture de camps d'internement dans le sud.

février : proclamation de l'État d'urgence pour 12 mois ; « vendredis noirs » autour des mosquées.

mars : dissolution du FIS.

avril : dissolution des conseils municipaux et régionaux à majorité FIS ; institution du Conseil consultatif national (CCN) destiné à faire office de Parlement.

juin : assassinat de Boudiaf.

juillet : Belaïd Abdesselman, un des « barons » du boumedienisme, devient premier ministre en remplacement de Sid Ahmed Ghozali en poste depuis juin 1991 ; Abassi et Benhadj sont condamnés à 12 ans de prison et leurs coin-culpés à 4 ans.

août : attentat à l'aéroport d'Alger (11 morts et 128 blessés).

octobre : instauration de cours spéciales desti-nées à juger les auteurs d'« actes subversifs et terroristes », l'âge de la responsabilité légale pour ces actes passent de 18 à 16 ans.

novembre : instauration du couvre-feu à Alger et dans les wilayas (départements) limitrophes.

1993   à partir de janvier : condamnations à mort et exécutions de « terroristes ».

février : reconduction de l'État d'urgence.

1993   mars : début des attentats contre des intellec-
        tuels ; rupture des relations diplomatiques avec
        l'Iran et le Soudan.
        juillet : le général Liamine Zeoual succède au
        général Khalled Nezzar à la tête du ministère
        de la Défense.
        août : Redha Malek remplace Belaïd
        Abdesselam à la tête du gouvernement.
        septembre : création d'une instance exécutive
        du FIS à l'étranger, présidée par Rabah Kebir
        (Allemagne).

1994   janvier : le général Liamine Zeroual est
        nommé, par le HCE, à la présidence de la
        République.
        février : Djafaar el Afghani, « émir » du GIA
        est abattu avec neuf de ses « lieutenants »
        avril nomination de Mokdad Sifi au poste de
        Premier ministre.
        juin : rééchelonnement de la dette extérieure.
        août : enlèvement d'agents consulaires fran-
        çais ; rafles dans le « milieu islamiste » en
        France ; la délivrance de visas français aux Al-
        gériens est transférée des consulats français en
        Algérie à Nantes.
        septembre : Madani et Benhadj sont placés en
        résidence surveillée tandis que leurs compa-
        gnons de détention sont libérés.
        novembre : ouverture d'un « colloque sur l'Al-
        gérie », sous l'égide de la communauté

Sant'Egidio, à Rome. Y participent Aït Ahmed (FFS), Mehri (FLN), Haddam (FIS), Ben Bella (MDA), Nahnah (Hamas), Djaballah (Nahda), Boukrouh (PRA) et Hanoune (PT).

décembre : prise en otage, revendiqué par le GIA, des passagers d'un Airbus d'Air France sur l'aéroport d'Alger ; trois otages sont exécutés et l'avion finit par atterrir à Marseille où les pirates de l'air sont abattus ; Alain Juppé, ministre des Affaires étrangères, cède le pas à Charles Pasqua, ministre de l'Intérieur, sur le dossier algérien.

1995   janvier : signature de la « plate-forme de Rome », Nahnah (Hamas ; « islamiste modéré ») s'est retiré de la négociation ; une manifestation est organisée à Alger par le régime pour dénoncer l'accord de Rome, elle réunit une dizaine de milliers de personnes. Ali Benhadj est remis en prison dans le sud.

février : mutinerie à la prison Serkadjii à Alger. Violente répression (plus de 100 morts).

mars : répression des maquis islamistes dans l'Ouest du pays.

avril : création de « zones d'exclusion » autour des champs de pétrole.

juillet : le cheikh Sahraoui, un des cofondateurs du FIS, est assassiné à Paris. Vague d'attentats en France imputés aux islamistes algériens.

1995   novembre : élection du général Liamine Zeroual à la présidence de la République ; élection boycottée par les partis « signataires de Rome » ; Nahnah (Hamas) fait un score « honorable ».
décembre : Ahmed Ouyahyia est désigné comme Premier ministre.

1996   janvier : Mehri, secrétaire général du FLN, est limogé et remplacé par Boualem Benhamouda ; Hamas entre au gouvernement.
février : levée du couvre-feu.
novembre : référendum sur la révision de la Constitution qui renforce le pouvoir présidentiel au détriment du pouvoir législatif.

1997   juin : élections législatives qui se soldent par un raz-de-marée du Rassemblement national pour la démocratie (RND ; le « parti de Zeroual ») nouvellement fondé
juillet : libération conditionnelle de Madani.
août : massacres à Raïs (100 à 300 victimes).
septembre : Madani est placé en résidence surveillée après l'envoi d'une lettre au secrétaire général de l'ONU ; massacre de Béni Messous ; appel à la trêve de l'Armée islamique du salut (AIS).
octobre : élections municipales remportées par le RND. Manifestations de l'opposition pour dénoncer la « fraude massive ».

1998 janvier : massacres près de Relizane ; Ramadam particulièrement sanglant.

février : délégations de parlementaires européens et canadiens à Alger qui y ont rencontré « la démocratie ».

juillet : assassinat du chanteur Matoub Lounès suivi d'émeutes en Kabylie ; mise en application officielle de la loi d'arabisation ; délégation de l'ONU, sous la direction de Mario Soares.

septembre : annonce, par le général Zeroual, d'élections présidentielles anticipées en février 1999.

ANNEXE III

SIGLES

AIS	Armée islamique du salut
ALN	Armée de libération nationale
AML	Amis du manifeste et de la liberté
ANP	Armée nationale populaire
APC	Assemblée populaire communale
FFS	Front des forces socialistes
FIS	Front islamique du salut
FLN	Front de libération nationale
FMI	Fonds monétaire international
GIA	groupes islamiques armés
GRPA	Gouvernement provisoire de la République algérienne
HCE	Haut Comité d'État
MIA	Mouvement islamique algérien
MNA	Mouvement national algérien
MTLD	Mouvement pour le triomphe des libertés démocratiques
OAS	Organisation de l'armée secrète
OPEP	Organisation des pays exportateurs de pétrole
PAGS	Parti de l'avant-garde socialiste

PCA	Parti communiste algérien
PCF	Parti communiste français
PPA	Parti du peuple algérien
RCD	Rassemblement pour la culture et la démocratie
RND	Rassemblement national pour la démocratie
UDMA	Union démocratique du manifeste algérien
UGTA	Union générale des travailleurs algériens
UNFA	Union nationale des femmes algériennes
UNJA	Union nationale de la jeunesse algérienne
UNM	Union nationale des moudjahidine
UNPA	Union nationale des paysans algériens

NOTES

1. Par exemple, à la question posée à 1 057 personnes résidant au Québec par Sondagem pour *Le Devoir*, *Le Soleil* et l'émission *Droit de réponse* à *Télé-Québec* du 31 octobre 1997 : « D'après vous, la communauté internationale devrait-elle intervenir en Algérie pour arrêter les massacres ou ne pas intervenir parce que ce serait s'ingérer dans les affaires internes d'un pays ? », 73,6 % optent pour intervenir, 19,6 % pour ne pas intervenir et 6,8 % ne se prononcent pas.

2. *Le Monde diplomatique*, février 1998.

3. Salima Ghezali tenait ce discours devant les députés du Parlement européen en décembre 1997. La mondialisation étant ce qu'elle est, on peut étendre cette proposition au-delà des rives de la Méditerranée. Et notamment à celles de l'Atlantique et du Pacifique qui nous entourent.

4. Benjamin Stora, *L'Algérie en 1995. La guerre, l'histoire, la politique*, Paris, Éditions Michalon, 1995, p. 105.

5. Voir Annexe I.

6. Front islamique du salut (FIS).

7. Front de libération nationale (FLN).

8. Front des forces socialistes (FFS).

9. Voir son livre d'entretiens avec Ghania Mouffok, *Une autre voix pour l'Algérie*, Paris, La Découverte, 1996.

10. Voir Bernard-Henry Lévy, « Choses vues en Algérie », *Le Monde,* 8 et 9 janvier 1998 ; André Glucksmann, « En Algérie, j'ai pleuré aux portes du XXIe siècle », *L'Express*, n° 2430, 29 janvier 1998. Voir aussi dans *Le Monde* du 23 janvier 1998, le compte rendu d'une rencontre tenue à la Mutualité le 21.

11. Bernard-Henry Lévy, « Algérie : gare au syndrome Timisoara », *Le Monde*, 12 février 1998.

12. Il a été rédigé avant que je ne puisse prendre connaissance de celui de Luis Martinez, *La guerre civile en Algérie,* Paris, Karthala, 1998. Ses articles parus constituent une référence importante dans le chapitre 5. Un travail à partir de son livre aurait

certainement contribué à enrichir un des volets du chapitre 4. L'autre volet du chapitre 4, relatif aux problèmes linguistiques, a lui aussi été rédigé avant juillet 1998, moment où des manifestations éclatèrent à la suite de l'assassinat du chanteur Matoub Lounès, dans le contexte de la mise en application officielle de la loi sur l'arabisation. Même s'il n'y a pas lieu de ne pas voir en elle une vexation supplémentaire à l'égard des Berbères, reste que l'inapplicabilité concrète de cette mesure illustre avant tout que le régime illégitime en place à Alger, déchiré entre les divers clans de l'armée, est prêt à faire flèche de tout bois. Déchirements qui ont momentanément abouti à l'annonce par le général Zeroual, en septembre 1998, qu'il écourtait son mandat et que des élections présidentielles anticipées auraient lieu en février 1999. Nombreux sont ceux qui interprètent cette information comme un coup d'État militaire larvé. Enfin, le rapport présenté par la commission d'observation de l'ONU, présidée par Mario Soares, qui a séjourné en Algérie en juillet 1998, à l'invitation du régime, ne dément malheureusement pas ce qui vient d'être dit à propos des délégations européenne et canadienne.

CHAPITRE I

1. Alexis de Tocqueville, *De la colonisation en Algérie*, Bruxelles, Éditions Complexe.

2. Les rapports régissant le mariage : pas de limite d'âge (inférieur), consentement non de la future épouse, mais du tuteur matrimonial ; le divorce : très difficile pour l'épouse et pratiquement inutile pour le mari ; l'adoption : interdite ; l'héritage : une demi-part aux héritières ; la répudiation : privilège du mari ; la polygynie, etc.

3. Dans son *Introduction à l'étude du droit musulman algérien*, 1921, cité dans Jean-Robert Henry et François Balique, *La doctrine coloniale du droit musulman algérien*, Paris, Éditions du CNRS, 1979, p. 48. C'est moi qui souligne.

4. Dominique Schnapper, *La communauté des citoyens*, Paris, Gallimard, 1994, p. 152.

5. Selon la formule de Pierre Legendre. Voir notamment, *La fabrique de l'homme occidental*, Paris, Les mille et une nuits/Arte,

1996. Mohammed Hocine Benkheira, dans son introduction à *L'amour de la Loi. Essai sur la normativité en islâm*, Paris, Presses universitaires de France, 1997, explicite assez clairement « la problématique si difficile de l'*institution du sujet* », en écrivant : « Instituer le sujet – c'est-à-dire le faire venir à la vie, l'engendrer pour ainsi dire – est l'impératif numéro un auquel sont confrontées toutes les sociétés "primitives" ou "complexes", religieuses ou sécularisées. Pour ce faire, sont mis en place des montages normatifs variés (rites, croyances, mythes, morale, interdits, emblèmes, insignes, écrits, objets divers, images, etc.), dont la religion n'est à tout prendre qu'une traduction parmi d'autres. On peut comparer le sujet humain à un produit manufacturé et le montage normatif ou institutionnel à une chaîne de montage. La subjectivité n'est jamais acquise, elle n'est pas collée à l'enfant qui sort du ventre de sa mère ; il doit l'acquérir. Les montages normatifs – religieux ou sécularisés – sont là dans ce but ; il s'agit d'usiner cette subjectivité, c'est-à-dire de la fabriquer. » Benkheira ajoute aussitôt en note : « Notons la limite de notre comparaison : personne ne sait *a priori* si la construction de la subjectivité est achevée, alors qu'en usine un contrôleur peut toujours mettre de côté les produis défectueux. »

6. « Islam et État en Algérie. Du gallicanisme au fonda-mentalisme d'État », dans Pierre Robert Baduel (dir.), *L'Algérie incertaine*, Aix-en-Provence, Édisud, 1994, 61-76. Cette section sur l'héritage colonial en matière religieuse est largement inspirée par cet article.

7. Voir Ali Merad, *Le réformisme musulman en Algérie de 1925 à 1940. Essai d'histoire religieuse et sociale*, Paris, Mouton, 1967. Voir aussi Fanny Colonna, *Les versets de l'invincibilité*, Paris, Presses de Science Po, 1995 ; et Mohammed Hocine Benkheira, *op. cit.,* note 5.

8. Omar Carlier, *Entre Nation et* Jihad. *Histoire sociale des radicalismes algériens*, Paris, Presses de Science Po, 1995, p. 211.

9. Le 19 décembre 1960, l'Assemblée générale de l'ONU reconnaît le droit de l'Algérie à l'autodétermination. Cette décision est prise à New York tandis que des manifestations de masse, auxquelles participent de nombreuses femmes, ont lieu en Algérie à l'occasion d'un voyage de de Gaulle.

10. Des intellectuels français avaient assez vite rallié la cause de l'indépendance de l'Algérie. Voir, par exemple, Hervé Hamon et Patrick Rotman, *Les porteurs de valises. La résistance française à la guerre d'Algérie*, Paris, Seuil, 1982 (coll. Points) (première édition, Paris, Albin Michel, 1979).

11. Ce qui signifie que les jeunes hommes français étaient obligés d'y prendre part au risque d'être déclarés déserteurs et emprisonnés. Plusieurs ont pris ce risque.

12. Patrick Eveno, *L'Algérie*, Paris, Le Monde Éditions, 1994, p. 33.

13. Voir Anne-Marie Duranton-Crabol, *Le temps de l'OAS*, Bruxelles, Éditions Complexe, 1995.

14. Voir Jacques Jurquet, *La révolution nationale algérienne et le Parti communiste français*, Paris, Éditions du Centenaire, 2 tomes, 1973 et 1974 ; Emmanuel Sivan, *Communisme et nationalisme en Algérie, 1920-1962*, Paris, Presses de la Fondation nationale de sciences politiques, 1976 ; Grégoire Madjarian, *La question coloniale et la politique du Parti communiste français, 1944-1947. Crise de l'impérialisme colonial et mouvement ouvrier*, Paris, Maspero, 1977.

15. Voir Omar Carlier, *op. cit.,* note 8.

16. Voir Benjamin Stora et Zakya Daoud, *Ferhat Abbas. Une utopie algérienne*, Paris, Denoël, 1995, p. 161.

17. Pour un développement de cette notion appliquée à l'Algérie, voir Jean Leca et Jean-Claude Vatin, *L'Algérie politique. Institutions et régime*, Paris, Presses de la Fondation nationale de sciences politiques, 1975 ; Lahouari Addi, *L'impasse du populisme*, Alger, Société nationale d'édition et de diffusion, 1992 ; et Omar Carlier, *op. cit.,* note 8.

18. Omar Carlier, *op. cit.,* note 8, p. 233.

19. Occultant dès lors les langues berbères.

20. Benjamin Stora, *L'Algérie en 1995. La guerre, l'histoire, la politique*, Paris, Éditions Michalon, 1995, p. 11 et suivantes.

21. S'il est avéré que les victimes des massacres dans les villages de la Mitidja de l'été de 1997 étaient des électeurs et des électrices du FIS lors des législatives de décembre 1991, il semblerait que ces villages comptaient de nombreux « messalistes » pendant la lutte de libération.

22. Nouvelle appellation du PCA.

23. Voir Mohamed Harbi, *La guerre commence en Algérie*, Bruxelles, Éditions Complexe, 1984.

24. *Id.*, p. 62.

25. *Id.*, p. 72.

26. Mohamed Harbi, *Le F.L.N. Mirage et réalité. Des origines à la prise du pouvoir (1945-1962)*, Paris, Éditions Jeune Afrique, 1980, p. 376.

27. D'après Patrick Eveno, *op. cit.,* note 12, p. 33 et 34, sur 27 millions d'électeurs français inscrits, 19,3 millions ont voté, 17,5 millions ont voté « oui » et 1,8 million, « non » ; sur 6 534 000 électeurs algériens inscrits, 6 034 000 ont voté, 5 994 000 ont voté « oui » et 40 000, « non ». Utiliser ce double référendum, ainsi que l'a une nouvelle fois fait le professeur Derriannic, lors du débat de Télé-Québec le 13 février 1998, pour justifier le recours du gouvernement fédéral auprès de la Cour suprême pour statuer sur le droit à l'autodétermination du Québec, relève, me semble-t-il, de l'indécence. En particulier à l'égard du Canada. Le nationaliste québécois le plus radical est, heureusement, incapable de prouver une adéquation entre la colonisation française en Algérie et la colonisation canadienne au Québec. Le référendum lors duquel le peuple français « accordait » l'indépendance à l'Algérie constituait le dernier épisode de l'impérialisme français. Cette concession a été faite à l'issue d'une guerre horrible qui a fait courir à la France le risque de basculer dans le fascisme. C'est aussi à l'égard de ce risque que nombre de démocrates français ont voté « oui ». Ils avaient encore en mémoire le régime de Vichy qui venait d'illustrer combien leurs concitoyens étaient susceptibles d'être sensibles à l'autoritarisme antidémocratique. Les scores du Front national illustrent que cette tentation est toujours bien présente. Cette difficulté franco-française devrait nous inciter à renoncer à considérer que le point technique de l'octroi de l'indépendance à l'Algérie constituerait un exemple à suivre dans les rapports entre le Québec et le Canada.

28. Une ville de l'ouest du pays, proche de la frontière marocaine.

29. La principale ville de Kabylie.

30. Mohamed Harbi, *op. cit.*, note 26, en particulier le chapitre 19, « L'avènement d'une bureaucratie », p. 299-320.

CHAPITRE II

1. Le terme de « représentation » n'est pas exempt d'ambiguïtés. Je suis loin d'être en désaccord avec Jacques Rancière lorsqu'il dénonce l'utilisation de ce « mauvais ciment des "représentations" » pour faire tenir l'édifice. En particulier, lorsque la notion de représentation renvoie à la « lecture des images ». Il n'est pas exclu que la présentation qui suit du chapitre de Frantz Fanon consacré aux « femmes dans la Révolution » n'échappe pas entièrement aux critiques stimulantes qu'il énonce dans « Sur l'*Histoire des femmes* au XIXᵉ siècle », dans Georges Duby et Michelle Perrot (dir.), *Femmes et Histoire*, Paris, Plon, 1993, p. 49-61.

2. Djamila Amrane, *Les femmes algériennes dans la guerre*, préface de Pierre Vidal-Naquet, Paris, Plon, 1991 ; et *Des femmes dans la guerre d'Algérie*, préface de Michèle Perrot, Paris, Khartala, 1994. Les citations sont extraites du premier ouvrage ; en particulier des pages 186 à 188.

3. Ce qui n'échappe pas à Vidal-Naquet qui, dans sa courte préface, écrit (p. 11) : « Un des aspects les plus étonnants de ce que nous apprend Djamila Amrane est ce qu'elle appelle la "démocratie à l'athénienne", qui régnait dans les prisons de femmes et qui fait un contraste si violent avec la hiérarchie très autoritaire qui était au pouvoir chez les hommes. Démocratie à l'état sauvage, peut-on dire, marqué par exemple par un refus de désigner des "responsables". On peut dire que la participation des femmes, sollicitées pourtant quand il s'agissait des infirmières ou des poseuses de bombes, prit le FLN par surprise comme le prirent par surprise les immenses manifestations urbaines de décembre 1960. »

4. Frantz Fanon, *L'an V de la Révolution algérienne*, 1ʳᵉ éd., Paris, Maspero, 1959 ; 2ᵉ éd., 1975. La deuxième édition, p. 16 à 50, est utilisée ici. Je reprends partiellement des éléments de « Comme une chose attendue, entendue. Femmes algériennes – lutte de libération nationale – socialisme », dans André Corten *et al.*, *Les autres marxismes réels*, Paris, Bourgois, 1985, p. 81-95 et surtout de « Femmes envisagées », 1997.

5. Il n'est pas inutile d'insister sur la reproduction actuellement à l'œuvre. À divers niveaux. C'est notamment le cas de l'impact de la photo diffusée à travers le monde que *Le Monde*

(26 septembre 1997) baptise « La madone en enfer ». À Gérard Lefort, le critique cinéma de *Libération*, cette photo a inspiré un texte qui exprime bien l'opération d'instrumentalisation des femmes toujours à l'œuvre, parfois avec les meilleures intentions, mais là n'est pas la question. Après avoir rappelé que la censure empêche les photographes d'exercer leur métier lors des massacres, leur laissant la seule possibilité d'accéder aux survivants, il observe que si ce sont souvent des photos de femmes qui nous sont transmises, cela tient à « un fait de culture commun à toutes les civilisations méditerranéennes que la douleur des femmes y soient extrêmement visible ». Que cette douleur soit expressive et publique ne lui enlève pas sa dignité. Lefort s'interroge pourtant sur son caractère photogénique. Il écrit : « Si cette photo nous parle et nous choque (au sens électrique), c'est aussi parce qu'elle réveille en nous d'autres représentations de la peine au féminin. Cinématographiques d'abord. Il y a du néo-réalisme italien qui pointe dans cette composition, il y a de la Magnani dans cette femme, ou de la Callas quand elle incarnait *Médée*. Quelque chose de Pasolini en effet, surtout quand il filmait *L'Évangile selon Mathieu*. Car, en arrière-monde encore plus lointain, c'est tout aussi sûrement la peinture ou la sculpture du catholicisme qui reviennent, cette femme douloureuse rappelant tout autant les *mater dolorosa* du Caravage que la *Pietà* de Michel-Ange. La Vierge en somme. Que ce soit une héroïne chrétienne qui stimule les réflexes de notre imaginaire dit à la fois la puissance et les limites de cette image terriblement occidentale, et, à tout le moins, son ambiguïté. On peut raisonnablement supputer que, dans le malheur de cette femme algérienne, la question de l'Islam est nettement plus cruciale. »

Ce texte me paraît l'un des plus terribles qu'il nous ait été donné à lire sur la tragédie algérienne depuis six ans, puisqu'il réussit à aller nous chercher, nous Occidentaux, là où ça fait mal : dans la beauté sublimée de nos fantasmes méditerranéens (Grèce, Italie) tandis que nous déniions la présence de la rive sud de la *Mare nostra*. Sans engager Lefort (Gérard) et son beau texte, je m'autorise à renvoyer à celui, tout aussi beau et tout aussi terrible, de Nicole Loraux, *Les mères en deuil*, Paris, Seuil, 1990.

6. Frantz Fanon, *op. cit.,* note 4, p. 42. Après avoir rappelé que, dans la « société traditionnelle », le voile révèle son corps à la jeune

fille, Fanon use d'un argument d'autorité – « Il faut avoir entendu les confessions d'Algériennes ou analyser le matériel onirique de certaines dévoilées récentes, pour apprécier l'importance du voile dans le corps vécu de la femme » – pour dévoiler ce matériel. Le secret brisé par le psychiatre épouse des accents de la Métamorphose : « Impression de corps déchiqueté, lancé à la dérive ; les membres semblent s'allonger indéfiniment. Quand l'Algérienne doit traverser une rue, pendant longtemps, il y a erreur de jugement sur la distance exacte à parcourir. Le corps dévoilé paraît s'échapper, s'en aller en morceaux. Impression d'être mal habillée, voire d'être nue. Incomplétude ressentie avec une grande intensité. Un goût anxieux d'inachevé. Une sensation effroyable de se désintégrer. L'absence de voile altère le schèma corporel de l'Algérienne. » Cette dramatisation semble destinée à illustrer l'effort surhumain effectué par la femme dévoilée : « Il lui faut inventer rapidement de nouveaux moyens de contrôle musculaire. Il lui faut se créer une démarche de femme-dévoilée-dehors. Il lui faut briser toute timidité, toute gaucherie (car on doit la prendre pour une Européenne) tout en évitant la surenchère, la trop grande coloration, ce qui retient l'attention. » La conclusion s'impose d'elle-même : « L'Algérienne qui entre toute nue dans la ville européenne réapprend son corps, le réinstalle de façon révolutionnaire. » et n'est pas exempte d'un paternalisme de bon aloi : « Cette nouvelle dialectique du corps et du monde est capitale dans le cas de la femme. »

7. Voir Malek Alloula, *Le harem colonial*, Genève et Paris, Éditions Slatkine, 1981 ; et Alain Buisine, *L'Orient dévoilé*, Cadheilhan, Éditions Zulma, 1993.

8. Dans un entretien avec Christiane Dufrancatel, *Les révoltes logiques*, n° 11, hiver 1979-1980, p. 82.

9. L'organe du FLN, alors clandestin. Fanon y a longtemps collaboré.

CHAPITRE III

1. On sait que cette référence est problématique pour les femmes, car elle exclut pratiquement la main-d'œuvre féminine dans l'agriculture et l'artisanat. Reste que cette remarque n'invalide pas les comparaisons sur le plan international.

2. Je me permets de renvoyer à mon article : « L'emploi des femmes en Algérie », *Revue canadienne des études africaines*, 1982, vol. 16, nᵒ 1, p. 43-66.

3. *El Moudjahid*, 4 juillet 1969.

4. *Ibid.*

5. Conformément à la « tradition socialiste », le 8 mars, journée (internationale) de la femme, a été soulignée en Algérie dès l'indépendance. Les travailleuses se voyaient, ce jour-là, octroyer une demi-journée de congé payée. C'était aussi le jour, le seul, où la presse se faisait un point d'honneur à exalter le rôle « inestimable » joué par « la femme algérienne » dans l'édification du pays, où la cinémathèque programmait un film « féministe » en provenance d'un pays de l'Europe de l'Est ou du Nord, où l'université programmait une table-ronde sur la « situation de la femme », où les fleuristes faisaient leurs affaires, comme ici à la Saint-Valentin.

6. *El Moudjahid*, 9 mars 1966.

7. Luc-Willy Deheuvels, *Islam et pensée contemporaine en Algérie. La revue Al-Asâla (1971-1981)*, Paris, Éditions du CNRS, 1991, p. 190.

8. Voir Hélène Vandevelde-Daillière, *Femmes algériennes. À travers la condition féminine dans le Constantinois depuis l'indépendance,* Alger, Office des publications universitaires, 1980. Elle écrit (p. 383) : « *Révolution :* ce terme qui évoque pour la Nation la "modernisation de la société" n'est pas employé concernant la condition féminine ; on ne remet pas en cause fondamentalement le rôle traditionnellement attribué à la personnalité féminine, on ne parle pas de modernisation dans ce domaine. *Socialisme :* dans la mesure où ce terme est porteur d'égalité et de soif de participation, il va dans le sens d'un progrès pour les femmes. Mais il semble qu'il ait une résonance plus grande dans les esprits qu'il n'est développé dans les manifestations officielles, et de toute façon, c'est rarement qu'on fait appel pour les femmes à la justice qu'il évoque. *Arabo-islamisme :* cette expression qui évoque pour la Nation la "récupération de ses valeurs profondes" est toujours utilisé concernant le problème féminin mais, semble-t-il, pour fixer des limites aux femmes tout en les chargeant de garder, et au besoin récupérer, les valeurs culturelles traditionnelles (langue, religion…). »

9. *Id.*, p. 384.

10. Les majuscules sont dans le texte. Contrairement à la « Révolution Agraire » et à la « Révolution Industrielle » qui, chacune, donne lieu à un texte d'un seul tenant, la « Révolution Culturelle » est fragmentée en neuf courtes sections. « La promotion de la femme algérienne » est la huitième. Elle est précédée par « La langue nationale », « L'éducation », « La formation scientifique et technologique », « La lutte contre l'analphabétisme et la scolarisation des enfants et des adultes », « L'équipement culturel et la formation des animateurs de la culture », « La lutte contre les déviations », « La lutte contre les maux sociaux ». Elle est suivie par « La Formation politique ».

11. La reconnaissance de ces droits n'est, en 1976, toujours pas formelle puisque le *Code de la famille* n'est toujours pas promulgué.

12. Cette proposition première dans cette courte liste de mesures à prendre est pour le moins curieuse, s'agissant d'améliorer le statut des femmes : la dot est apportée par le mari à l'épouse qui, formellement, en dispose comme elle l'entend.

13. Oran, Cahiers du CDSH (Centre de documentation des sciences humaines), n° 3, 1980, 3-34, p. 16.

14. Étienne Balibar, « Émancipation, transformation, civilité », *Les Temps modernes*, n° 587, 1996, p. 412.

15. Balibar précise encore : « L'autonomie de la politique (en ce qu'elle représente un processus n'ayant d'origine et de fin que lui-même, ou ce qu'on appellera la "citoyenneté") n'est pas concevable sans l'autonomie du sujet, et celle-ci en retour n'est pas autre chose que le fait pour le peuple de se "faire" lui-même, en même temps que les individus qui le constituent se confèrent mutuellement des droits fondamentaux. Il n'y a d'autonomie de la politique que dans la mesure où les sujets sont les uns pour les autres la source et la référence ultime de l'émancipation. »

16. Voir le texte de Fanon aux pages 57-58.

17. Cette thèse a été amplement développée dans André Corten et Marie-Blanche Tahon, *L'État nourricier. Prolétariat et population. Mexique/Algérie*, Paris, L'Harmattan, 1988.

18. L'Union générale des travailleurs algériens (UGTA) ; l'Union nationale des paysans algériens (UNPA), l'Union nationale

de la jeunesse algérienne (UNJA) ; l'Union nationale des moudjahidine (UNM).

19. Celui de l'UGTA – développement industriel et socialisme soviétiste obligent – étant nettement supérieur aux autres.

20. Omar Carlier amorce une réflexion à ce propos dans *Entre Nation et Jihad. Histoire sociale des radicalismes algériens*, Paris, Presses de Sciences Po, 1995. Même s'il ne fait pas référence au cadre algérien, le livre de Jacques Derrida, *Politiques de l'amitié*, Paris, Galilée, 1994, est susceptible de la prolonger. Inutile d'insister sur le fait qu'il s'agit d'une question d'une brûlante contemporanéité dans le cadre de la présente guerre contre les civils. Des frères, il est attendu qu'ils s'aiment. Il arrive aussi qu'ils s'entre-tuent. La Révolution française est exemplaire à cet égard, même si elle avait pris soin d'ériger la mère républicaine en vue de médiatiser ces rapports amour-haine. J'ai mis cet aspect en évidence dans « La lente absorption de la femme dans l'individualisme abstrait : la mère est-elle un individu ? », dans Jean-François Côté (dir.), *Individualismes et individualité*, Québec, Septentrion/ CELAT, 1995, p. 91-101 ; et dans « La maternité comme opérateur de l'exclusion politique des femmes », dans Manon Tremblay et Caroline Andrew (dir.), *Femmes et représentation politique au Québec et au Canada*, Montréal, Éditions du Remue-ménage, 1997, p. 19-31. Une copie de la « mère républicaine » me paraît inconcevable en Algérie : la figure structurante dans la religion musulmane ne serait pas la mère, comme dans la religion catholique, mais la sœur. J'ai amorcé ce questionnement dans « Islamité et féminin pluriel », *Anthropologie et sociétés*, vol. 18, n° 1, 1994, p. 185-202. Il s'agit là de tout un chantier qui reste à explorer.

21. L'histoire de l'UNFA reste à faire. Des éléments sont fournis dans Zakya Daoud, *Féminisme et politique au Maghreb*, Paris, Maisonneuve et Larose, 1994.

22. Ce terme n'avait pas cours, en Algérie et ailleurs, dans les années 1960 et 1970. L'anachronisme se justifie toutefois en ce qu'il était constamment rappelé aux femmes, de la part du régime et de l'organe de presse officiel, que leur « promotion » ne devait pas aller à l'encontre de « l'éthique dont notre peuple est profondément imprégné ».

Algérie. La guerre contre les civils

De plus, chaque année se réunissait un « séminaire de la pensée islamique » dont les travaux étaient retransmis dans *El Moudjahid*. Ainsi, dans l'édition du 21 février 1977, pouvait-on lire que le onzième séminaire avait examiné « le problème des droits et des devoirs de la femme, notamment son droit à la liberté et les limites de celle-ci, eu égard à sa nature et à ses caractéristiques spécifiques, afin de remplir au mieux sa fonction première dans la société humaine, au sein de la famille et hors du foyer ; après avoir examiné, par ailleurs, le problème du travail de la femme dans ses aspects positifs et négatifs, ainsi que les conséquences de celui-ci sur le plan social, économique, moral et éducatif, la Commission est arrivée à la conclusion que les libertés et les droits conférés à la femme musulmane par l'Islam et sa doctrine, les devoirs prescrits par le Saint Coran et les Traditions du Prophète, que le Salut soit sur Lui, constituent les meilleurs droits et devoirs pour lui permettre de jouer son rôle de choix dans une société saine. Ces droits et devoirs sont seuls susceptibles de garantir à la femme musulmane sa dignité, son immunité et sa protection, ainsi qu'une vie honorable au cours de toutes les étapes de son existence. L'Islam a orienté les activités de l'homme et de la femme dans les différents domaines de la vie d'une société équilibrée, activités communes et singulières selon ce que Dieu a mis en chacun de spécifique et de particulier. Le domaine essentiel des activités de la femme se trouve à l'intérieur du foyer, tandis que celui de l'homme se trouve à l'extérieur, ceci dans le but de sauvegarder la famille, cellule de base de la société, de la protéger des facteurs de dégradation et d'en faire le berceau béni pour la formation de générations saines. La femme est la sœur de l'homme, comme l'a enseigné le Prophète, le Salut soit sur Lui. Elle a autant de droits que de devoirs selon les injonctions du Coran. Mais de la diversité des particularités respectives de l'homme et de la femme découle une diversité de leurs tâches, et ce, afin de répondre aux exigences d'une vie de progrès et de concrétiser les principes d'égalité et de justice. »

23. *El Moudjahid*, 5 octobre 1978.

24. *El Moudjahid*, 5 octobre 1978. D'après Deheuvels, *op. cit.*, note 7, p. 187, Boumediene aurait transmis au sixième Séminaire de la pensée islamique (juillet 1972) une allocution dans laquelle on pouvait lire :

« Dans un tout autre domaine, celui des droits de la femme dont on parle tellement aujourd'hui et dont on attribue le mérite à l'Europe moderne, l'Islam n'en est pas moins révolutionnaire et précurseur.

« Il est établi en effet, que la femme était jadis et dans le monde entier, y compris l'Arabie, réduite à l'état de marchandise… Quand vint l'Islam, il mit fin sans désemparer à un tel ostracisme, d'abord en Arabie, puis partout où il a rayonné. Les droits qu'il a accordés à la femme allaient de l'administration et de la libre disposition de ses biens, à la conservation de son nom de famille après le mariage et à la faculté de conclure des contrats, de signer des actes, de pratiquer tout commerce et toute activité économique. La majeure partie des droits dont jouit la femme musulmane est refusée de nos jours à la femme européenne. »

25. Sous le titre « L'Islam et la Révolution socialiste », on peut lire dans la *Charte nationale* (1976) :

« Le peuple algérien est un peuple musulman.

« L'Islam est la religion de l'État.

« Partie intégrante de notre personnalité historique, l'Islam se révéla comme l'un de ses remparts les plus puissants contre toutes les entreprises de dépersonnalisation. C'est dans un Islam militant, austère, mû par le sens de la justice et de l'égalité, que le peuple algérien s'est retranché aux pires heures de la domination coloniale et qu'il a puisé cette énergie morale, cette spiritualité qui l'ont préservé du désespoir et lui ont permis de vaincre.

« Le déclin du monde musulman ne s'explique pas par des causes purement morales. D'autres facteurs de nature matérielle, économique et sociale tels que les invasions étrangères, les luttes intestines, la montée des despotismes, l'extension de l'oppression féodale et la disparition de certains circuits mondiaux, y ont joué un rôle déterminant. Aussi, l'éclosion des superstitions et le foisonnement des mentalités passéistes ne doivent pas être considérés comme des causes mais plutôt comme des effets. Concentrer ses attaques sur ces pratiques aberrantes et en négliger le conditionnement social, c'est tomber dans un moralisme inopérant. En fait, pour se régénérer, le monde musulman n'a qu'une issue : dépasser le réformisme et s'engager dans la voie de la Révolution sociale.

« La Révolution entre bien dans la perspective historique de l'Islam. L'Islam, dans son esprit bien compris, n'est lié à aucun intérêt particulier, à aucun clergé spécifique, ni à aucun pouvoir temporel. Ni le féodalisme ni le capitalisme ne peuvent le revendiquer ou s'en prévaloir. L'Islam a apporté au monde une conception très élevée de la dignité humaine qui condamne le racisme, le chauvinisme, l'exploitation de l'homme par l'homme. Son égalitarisme foncier peut trouver une expression adaptée à chaque époque.

« Il appartient donc aux peuples musulmans dont le destin, aujourd'hui, se confond avec celui du tiers-monde, de prendre conscience des acquis positifs de leur patrimoine culturel et spirituel, de le réassimiler à la lumière des valeurs et des mutations de la vie contemporaine. C'est dire que toute entreprise qui se fixe, aujourd'hui, pour objectif une reconstruction de la pensée musulmane, doit, pour être crédible, renvoyer obligatoirement à une entreprise beaucoup plus vaste : la refonte totale de la société.

« À notre époque de transformations sociales décisives, les peuples musulmans sont appelés à secouer les jougs anachroniques du féodalisme, du despotisme, de l'obscurantisme sous toutes ses formes.

« Les peuples musulmans réaliseront, de plus en plus, que c'est en renforçant leur lutte contre l'impérialisme et en s'engageant résolument dans la voie du socialisme, qu'ils répondront le mieux aux impératifs de leur foi, et qu'ils mettront l'action en accord avec les principes. »

26. Parti de l'avant garde socialiste d'Algérie, *8 mars. Femmes : luttes et espoirs*, s.l.n.d., p. 18.

27. Voir *id.,* p. 22 et 23 : « Beaucoup de femmes, découragées par les expériences malheureuses du passé et tout en étant désireuses d'agir, de faire quelque chose, se demandent à juste titre si l'UNFA va être enfin leur organisation, si elle va leur permettre d'agir et de se rassembler pour les objectifs progressistes ou si elle continuera à être une organisation sur le papier, convoquée de temps à autre pour la forme.

« Mais le meilleur moyen précisément de tirer profit de ces expériences passées, le seul moyen de mettre à profit le climat favorable actuel pour donner aux femmes une organisation à la hauteur de leurs aspirations est que les femmes conscientes fassent elles-mêmes de l'UNFA ce qu'elles souhaitent qu'elle soit. Le fonctionnement démocratique de l'UNFA, sa combativité pour défendre les droits légitimes des femmes aux côtés de tous les autres citoyens, seront leur conquête dans le cours même des activités en faveur des tâches d'édification nationale et de progrès social.

« C'est dans cet esprit et pour ces objectifs qu'avec tous les patriotes et progressistes, le PAGS engage les travailleuses, les paysannes, les étudiantes et les autres femmes à se mobiliser dans l'union, aussi bien au sein de l'UNFA, que de l'UGTA et des autres organisations de masse. Il ne faut pas rester en retrait mais au contraire s'intégrer au courant qui est en train de modifier en profondeur les structures sociales de notre pays. »

28. *Id.*, p. 20.

29. En l'occurrence, un *Code de la famille.*

30. À ma connaissance, jusqu'en juin 1980, moment où j'ai quitté l'Algérie, pas une intellectuelle n'avait réclamé que les rapports familiaux soient régis par un Code civil laïque. Le discours de l'extrême-gauche et des pagsistes, sur ce point d'accord, consistant à répéter qu'il ne fallait « pas heurter les masses ».

31. J'utilise ici « Algériens » faute de pouvoir écrire « individus » puisque, précisément, l'absence d'énonciation de ces règles rend problématique l'émergence et la reproduction des individus.

32. Voir Fanny Colonna, *Les versets de l'invincibilité*, Paris, Presses de Sciences Po, 1995.

33. Leurs prises de position, lorsqu'on les leur demande, ne sont pas systématiquement « rétrogrades » et misogynes. Ainsi, en 1965, le Conseil supérieur islamique publie le texte suivant :

« Le Conseil Supérieur Islamique a été saisi par le Ministère de la Santé, lui demandant d'émettre un avis sur l'organisation des naissances conformément aux prescriptions légales de la religion musulmane.

« Considérant qu'il s'agit d'une question difficile et épineuse, qui a été débattue anciennement et récemment par des savants compétents en la matière sans qu'ils puissent, pour autant, parvenir à lui trouver de décision définitive ;

« Considérant qu'il y va de la vie de l'espèce humaine, c'est la raison pour laquelle la chose a fait l'objet d'opinions divergentes qui à tous égards méritent de retenir l'attention ;

« Considérant que dans toutes les Religions, d'après les textes de leurs lois respectives, il est dit expressément que Dieu – que sa puissance soit exaltée ! – garantit la subsistance des humains et leur donne les moyens de la rechercher par eux-mêmes ou de la tirer de la terre sur laquelle ils vivent afin de jouir, ainsi, d'une vie aisée ;

« Cela étant,

« Le Conseil Supérieur Islamique, tout en s'abstenant de se réserver l'exclusivité de ce domaine, a estimé bon de prendre contact avec toute personne pour sa compétence et son expérience dans les affaires touchant la Religion et le social, en la priant de bien vouloir donner son avis par écrit.

« Plusieurs réponses sont parvenues, accompagnées de toute une documentation qui prouve l'importance attachée à la question. Dans ces réponses, on préconise de concilier l'intérêt national avec ce que nous enseigne notre Religion, dont le seul but d'ailleurs est de rechercher l'intérêt des personnes qu'ignorent quelquefois certaines d'entre elles.

« De crainte, enfin, de voir les individus – qu'il s'agisse de notre génération ou des générations futures – ne se préoccuper par égoïsme que de leur intérêt personnel en s'adonnant au dérèglement moral, nous avons cru bon d'attirer l'attention sur le fait et les conséquences néfastes qui en résulteront par la pratique totale ou partielle de la limitation des naissances.

« De l'examen de toutes ces correspondances parvenues au siège du Conseil Supérieur Islamique, celui-ci a tiré les conclusions suivantes :

« L'organisation des naissances est permise de la façon suivante :

1. Qu'elle soit pratiquée d'une façon individuelle en cas de nécessité existante ou éventuelle, concernant la mère ou ses enfants nés ou à naître ;

2. Que la détermination de cette nécessité soit réservée à l'appréciation des intéressés eux-mêmes ;

3. Si le Gouvernement estime devoir prendre des mesures quelconques à ce sujet, il est très souhaitable, à notre avis, de le voir au préalable organiser toute une campagne d'animation d'esprit civique au sein de la masse populaire pour lui expliquer les condi-

tions à remplir afin d'avoir des enfants sains, sans toutefois que cette orientation revête un caractère de contrainte à quelque titre que ce soit ;

4. Mettre à la disposition des personnes qui se trouvent dans des cas ci-dessus précisés, tous moyens nécessaires à leur sauvegarde, afin de ne pas les voir s'engager dans une voie dangereuse qui pourrait aggraver leur cas et avoir des conséquences fâcheuses.

« Enfin, il est rappelé que toutes les précautions dont il s'agit doivent être prises à l'égard des intéressés dans le cadre des règles légales.

« Puisse Dieu nous conduire dans la voie du bien et de la rectitude. »

Chacun est à même de comparer cette position à celle de la hiérarchie catholique, de celle de Paul VI en 1968 à celle de Jean-Paul II aujourd'hui.

34. Selon la formule de Jean Leca, dans « De la "schizophrénie culturelle" de l'Algérie française », *Autrement*, série Mémoires, n° 33, *Aurès/Algérie 1954. Les fruits verts d'une révolution*, sous la direction de Fanny Colonna, 1994, p. 93-109. La rigueur de la réflexion de Leca sur l'Algérie alimente depuis longtemps mes analyses. Il me plaît de reconnaître cette dette.

35. Pierre Legendre, *Les enfants du texte. Étude sur la fonction parentale de l'État*, Paris, Fayard, 1992, p. 26.

36. Dans le sens de la prise en compte et en gestion du « dissensus » et non du rabattement sur un consensus. La question est, bien sûr, plus que jamais d'actualité : il n'y a pas lieu de prôner une union sacrée de « tous les hommes de bonne volonté » pour mettre fin aux massacres contre les civils, mais de réunir les conditions pour qu'une négociation politique puisse s'amorcer entre « opposants » politiques. Ce qui inclut le Front islamique du salut.

37. Comme la doublure d'un manteau ou la trame d'un tapis.

38. Pierre Rosanvallon, *Le sacre du citoyen. Histoire du suffrage universel en France*, Paris, Gallimard, 1992.

39. Le Code stipule en effet (article 11) que « la conclusion du mariage pour la femme incombe à son tuteur matrimonial qui est soit son père, soit l'un de ses proches parents. Le juge est le tuteur matrimonial de la personne qui n'en a pas. » Il est précisé à l'article 12 que « le père peut s'opposer au mariage de sa fille *bikr* (jeune

fille [vierge]) si tel est l'intérêt de la fille » et l'article 75 prévoit que « le père est tenu de subvenir à l'entretien de son enfant à moins que celui-ci ne dispose de ressources. Pour les enfants mâles, l'entretien est dû jusqu'à leur majorité, pour les filles jusqu'à la consommation du mariage. » Voir Hélène Vandevelde, « Le code algérien de la famille », *Maghreb-Machrek*, n° 107, janvier-février-mars 1985, p. 33-64.

40. Je me permets de renvoyer sur ce point à « Algérie : famille et politique », dans *SAVOIR. Psychanalyse et analyse culturelle*, vol. 3, n° 1 et 2, février 1997, p. 165-192.

CHAPITRE IV

1. Voir notamment, Lahouari Addi, « La crise structurelle de l'économie algérienne », *Peuples méditerranéens*, n° 52-53, *Algérie. Vers l'État islamique ?*, juillet-décembre 1990, p. 187-193 ; Abdelatif Benachenou, « Inflation et chômage en Algérie. Les aléas de la démocratie et des réformes économiques », *Maghreb-Machrek*, n° 139, janvier-mars 1993 ; Smaïl Goumeziane, *Le mal algérien. Économie politique d'une transition inachevée*, Paris, Fayard, 1994 ; Ahmed Henni, « Le cheik et le patron » et « Qui a légalisé quel "trabendo" ? », *Peuples méditerranéens*, n° 52-53, *Algérie. Vers l'État islamique ?*, juillet-décembre 1990, p. 219-232 et p. 233-243 ; Ghazi Hidouci, *Algérie. La libération inachevée*, Paris, La Découverte, 1995 ; Alain Lenfant, « Un modèle en échec », dans Gérard Ignasse et Emmanuel Wallon (dir.), *Demain l'Algérie*, Paris, Syros, 1995, p. 47-62.

2. Henni, dans « Qui a légalisé quel "trabendo" ? », *id.*, l'explicite ainsi dans un article d'abord publié dans le quotidien *El Moudjahid* pendant l'« ouverture démocratique », les 11 et 14 octobre 1990. Sous le sous-titre « Le "business" légal d'avant 1990 », il écrit à la page 235 :

« Les positions de commande de la distribution des biens et services aux prix administrés sont celles qu'on trouve dans l'administration et les entreprises publiques. Ainsi, pour commander la distribution de bâtiments, locaux, logements, terrains, il convient d'obtenir une position dans l'exécutif administratif d'une collectivité locale ou d'une administration centrale. Ce pouvoir de distribution est souvent délégué hors de ces sphères : quand l'administration attribue par exemple un quota de logements à une institution (entreprise, université, hôpital, etc.), c'est le responsable de cette institution qui devient redistributeur secondaire.

« Les positions d'autorité dans l'administration sont d'autant plus recherchées qu'elles n'offrent pas seulement le pouvoir de gérer une file d'attente pour les biens distribués par l'administration mais offrent en plus la position nécessaire pour se procurer pour sa propre consommation les biens et services à leur prix administré. Ainsi, sans corruption aucune, ni malversation, ni trafic d'influence, une position administrative permet de multiplier par un facteur M le revenu nominal de son titulaire. »

3. Selon l'approche qu'en propose Pierre Bourdieu dans *Le sens pratique* (Paris, Minuit, 1980) et que rappelle Benkheira dans son introduction à *Peuples méditerranéens,* n° 52-53, 1990, p. 6.

4. Elle donne lieu à ces considérations dans la *Charte nationale* (1976) :

« En Algérie, la notion de propriété non exploiteuse ne revêt pas un contenu formel, mais un contenu réaliste.

« Outre les biens d'usage personnel ou familial, elle comprend les petits moyens de production ou de services qui peuvent être exploités soit à titre individuel soit à l'aide d'une main-d'œuvre restreinte.

« Ainsi définie, la propriété non exploiteuse permettra même au stade le plus avancé de la société socialiste, le maintien de tout un éventail d'activités socialement utiles telles que :

– l'artisanat de production ou de service ;

– le commerce de détail ;

– la petite propriété du paysan et de l'éleveur ;

– l'unité du petit fabricant ou du petit entrepreneur de travaux, etc.

« Le maintien de ces activités n'obéit pas à un choix conjoncturel mais à un choix idéologique. »

5. Sous le titre « L'existence d'un secteur privé national n'est pas contradictoire avec l'étape historique actuelle où le secteur socialiste occupe une place prépondérante », la *Charte nationale* poursuit :

« Il convient, cependant, de faire la distinction entre le secteur privé qui joue un rôle utile pour l'économie du pays sans porter atteinte à l'édification socialiste, et le secteur privé parasitaire ou *compradore* qui constitue un danger non seulement pour le socialisme mais pour tout développement économique indépendant.

« a) – Le secteur parasitaire ou *compradore* doit être combattu et éliminé sans réserve.

« Ce secteur, dont la place dans la production est quasi nulle se définit essentiellement par sa liaison avec les firmes néocolonialistes et les monopoles capitalistes étrangers auxquels il sert d'intermédiaire ou de paravent. […] »

6. Voir Jean Leca et Jean-Claude Vatin, *L'Algérie politique. Institutions et régimes*, Paris, Presses de la Fondation nationale des sciences politiques, 1975 ; André Corten et Marie-Blanche Tahon, *L'État nourricier. Prolétariat et population. Mexique/Algérie*, Paris, L'Harmattan, 1988, en particulier 4ᵉ partie.

7. Gilbert Grandguillaume, « La confrontation des langues », *Anthropologie et Sociétés*, vol. 20/2, *Algérie. Aux marges du religieux*, 1996, p. 44. Du même auteur, voir aussi, *Arabisation et politique linguistique au Maghreb*, Paris, Maisonneuve et Larose, 1983.

8. Charles-E. Ageron, *Les Algériens musulmans et la France (1871-1919)*, Paris, Presses universitaires de France, 1968.

9. « L'instruction primaire était [en 1830] beaucoup plus répandue en Algérie qu'on ne le croit généralement. La moyenne des individus de sexe masculin sachant lire et écrire était au moins égale à celle de nos campagnes [vers 1845], cependant que 2 à 3 000 jeunes gens suivaient dans chaque province les cours des médrassa et 600 à 800 l'étude des sciences, du droit et de la théologie, »

10. Les rejetons de la *nomenklatura* militaire et civile fréquentaient peu ou ne fréquentaient pas l'université algérienne. Ils étudiaient à l'étranger dès le premier cycle après avoir fait leur secondaire dans les lycées de l'Alliance française maintenus en Algérie pour les enfants de coopérants.

11. Voir Mohammed Hocine Benkheira, « L'étatisation du marxisme en Algérie », dans André Corten *et al.* (dir.), *Les autres marxismes réels*, Paris, Bourgois, 1985, p. 51-65.

12. Ses promoteurs le désignent le plus souvent comme le « printemps berbère » laissant ainsi entendre qu'il a concerné l'ensemble des Berbères d'Algérie (y compris les Mozabites du Mzab, les Chaouïas des Aurès et les Touaregs du Sahara).

13. Voir Abderrahim Youssi, « Un trilinguisme complexe », dans Camille Lacoste et Yves Lacoste (dir.), *Maghreb. Peuples et civilisations*, Paris, La Découverte, 1995, p. 149-155.

14. Voir Lionel Galand, « Le berbère, langue une et multiple », dans Camille Lacoste et Yves Lacoste (dir.), *op. cit.,* p. 161-164.

15. Gilbert Grandguillaume, *loc. cit.,* note 7, p. 47.

16. Pour une analyse dépassionnalisée, voir notamment Alain Mahé, « Entre le religieux, le juridique et le politique : l'éthique. Réflexions sur la nature du rigorisme moral promu et sanctionné par les assemblées villageoises de Grande Kabylie », *Anthropologie et Sociétés*, vol. 20/2, *Algérie. Aux marges du religieux*, 1996, p. 85-109.

17. Le héros du « village peuplé d'irréductibles gaulois [qui] résiste encore et toujours à l'envahisseur », ainsi que la première page de chacun des albums le rappelle imperturbablement.

18. Leader du RCD, il se présente volontiers comme psychiatre. En janvier 1992, à l'issue du premier tour des législatives, il déclarait à *L'Express*, au vu des résultats qui accordaient la victoire au FIS, « s'être trompé de peuple »… Le 22 janvier 1998, un de ses partisans déclarait dans un débat public à Hull que les « islamistes » algériens n'avaient qu'à partir en Iran…

19. Voir Mohammed Hocine Benkheira, « L'absolu de la langue : critique d'un discours berbériste », *Maghreb-Machrek*, n° 154, 1996, p. 68-79.

20. Voir notamment Gilles Kepel et Yann Richard (dir.), *Intellectuels et militants de l'islam politique*, Paris, Seuil, 1990.

CHAPITRE V

1. Séverine Labat rapporte de plus qu'en février 1989, au cours d'une réunion de l'Union du Maghreb arabe, les chefs d'État maghrébins s'étaient entendus pour ne pas reconnaître légalement leurs mouvements islamistes respectifs. Voir *Les islamistes algériens. Entre les urnes et le maquis*, Paris, Seuil, 1995.

2. Voir Aïssa Khelladi, *Les islamistes algériens face au pou-voir*, Alger, Éditions Alfa, 1992. À propos de la journée du 5 octo-bre, premier jour des émeutes, il rapporte (p. 93) : « [...] à mesure que le temps passait, les nouvelles qui parvenaient de la rue indiquaient bien qu'une révolution se déroulait dans la capitale. Le comble était que les islamistes ne l'avaient même pas prévue, ni qu'ils y participaient, ni qu'ils savaient comment réagir à son égard. Tard dans la nuit, on décida tout simplement de se réunir encore et de donner désormais à ces réunions un nom : *cellule de crise*. De toutes les façons s'il y avait crise, ce ne pouvait être dû qu'au pouvoir et à sa mauvaise politique. Mais le plus urgent était d'arrê-ter le massacre. » Le lendemain, 6 octobre, la « cellule » rédige une déclaration, signée par Sahnoun, un théologien (oulema), qui souligne que « ce qui se passe [...] trouve ses motifs et ses raisons dans une situation générale dégradée par la faute d'une politique de prestige, de luxe et de gaspillage, au détriment des intérêts suprêmes de la nation ». On peut également lire dans cette déclaration des « islamistes » que la solution « ne réside pas dans la répression de ceux qui souffrent de faim, de nudité et de promiscuité », mais plutôt dans le « retour à l'islam comme chariâ et méthodologie après l'échec des régimes corrupteurs ». Elle se termine par un appel aux « citoyens musulmans » afin qu'ils cessent de « détruire les biens du peuple » et qu'ils rentrent chez eux. Selon Khelladi (p. 94), ce communiqué fut « photocopié et distribué dans les quartiers populeux de Bab El Oued et de Belcourt. Mais le peuple ne prêta aucune oreille à l'appel de SAHNOUN, et le jeu de massacre se poursuivait [...] ». Voir aussi Amine Touati, *Algérie. Les islamistes à l'assaut du pouvoir*, Paris, L'Harmattan, 1995 : « [...] la révolte de 1988, couronnant une série d'autres explosions populaires qui ont eu lieu tout au long de la décennie 80, vient démontrer que l'islamisme, tout considérable qu'il soit, n'est pour l'heure, qu'épiphénomène (dans le vaste ensemble des mutations sociales, s'entend) même si, réagissant quelques jours après le début de la révolte, il sait organiser une grande manifestation qui se termine dans un bain de sang. Et c'est à la faveur de ces troubles qu'est promulguée une nouvelle Constitution autorisant le multi-partisme et donnant naissance au Front islamique du salut (FIS) ; l'islamisme plonge ainsi, par la grâce de ce basculement, au cœur

même de la problématique de l'État [...] » Voir encore Mustafa Al-
Ahnaf, Bernard Botiveau et Franck Frégosi qui écrivent dans
L'Algérie par ses islamistes, Paris, Karthala, 1991 : « Comme la
révolution russe n'est pas l'œuvre des bolcheviques mais d'abord
celle des travailleurs, l'insurrection d'octobre 1988 est avant tout la
révolte de la jeunesse algérienne contre les conditions de vie qui ont
été faites par près d'un quart de siècle de dictature militaire.
Cependant, par leur nombre, leurs réseaux de mosquées, leur tendance à agir spontanément comme un seul homme et comme s'ils
obéissaient aux ordres d'un Comité central occulte, les islamistes
sont apparus comme le seul mouvement capable de mobiliser des
troupes et d'influer sur le cours des événements. Ce sont eux qui,
sans être mandatés par quiconque, se présentent comme les porte-
parole des insurgés et vont s'imposer comme les futurs dirigeants
du mouvement. Aux abois et ne sachant à qui parler, après avoir fait
taire ses mitrailleuses, le pouvoir était lui aussi à la recherche de
"chefs" représentatifs, capables de formuler des demandes et de
contenir une foule d'autant plus violente qu'elle était incontrôlable.
Abbassi Madani, professeur et prédicateur, Ali Benhadj, enseignant,
prédicateur et imam de la mosquée de Bab-el-oued, et Mahfoudh
Nahnah, professeur et prédicateur, furent donc reçus par le président
Chadli Bendjedid et consacrés leaders du mouvement islamiste.
[...] Le mouvement islamiste, fort de sa reconnaissance par les plus
hautes autorités de l'État, et désormais conscient de sa puissance
sociale et politique, est le premier bénéficiaire de "l'ouverture
démocratique". Il songe tout de suite à s'organiser. »

   3. Sadek Hadjares, dans un article intitulé « Algérie : violence
et politique », *Hérodote*, n° 77, *Maîtriser ou accepter les islamistes*,
1995, p. 43-64, qui dénote une proximité avec les militants qu'il
appelle « communistes », écrit à propos de la période qui suit
octobre 1988 (p. 48) : « pour une partie de la jeunesse, celle qui
suivait de plus en plus assidûment les *dars* (sermons religieux) des
mosquées, un changement s'est produit dans l'image de marque de
l'armée qui, jusqu'alors, n'était pas des plus mauvaises par rapport
à celle d'autres corps de l'État, en dépit de ce qu'on disait des
privilèges ou des agissements d'une partie de son encadrement.
Jusqu'en octobre 1988, l'armée était restée relativement à l'abri du
discrédit qui avait frappé certains corps du maintien de l'ordre,

comme la police, par exemple, dont de nombreux éléments, par leur comportement, étaient devenus la bête noire de la jeunesse des quartiers. Les griefs des opposants politiques à l'encontre de l'armée pour sa monopolisation du pouvoir étaient en partie déviés par le paratonnerre du FLN dont les luttes intestines semblaient ne pas les concerner directement (malgré, chez certains, le souvenir du 19 juin 1965 où la troupe avait tiré à Annaba contre les jeunes qui manifestaient contre la destitution de Ben Bella). » Il rappelle d'ailleurs (p. 49) que « La plupart des chefs militaires prenaient d'ailleurs soin de ne pas s'impliquer dans les sales besognes du maintien de l'ordre, refusant, par exemple, à Chadli, en 1986, d'intervenir contre les jeunes dans les émeutes des villes de Constantine et de Sétif. » Mais, poursuit-il (p. 49), en octobre 1988, « cette même armée, prise dans les luttes internes d'un système où elle est, en vérité, le plus important partenaire, un système que les émeutes populaires sont à deux doigts de déstabiliser dans la plus grande confusion, intervient massivement en mitraillant des centaines de jeunes tandis que des dizaines de communistes et syndicalistes, arrêtés la veille ou au début des émeutes, sont odieusement torturés. On comprend le poids de cet événement dans les consciences. Indépendamment des différentes versions et analyses politiques auxquelles ont donné lieu les grandes émeutes d'octobre 1988, il suffira à crédibiliser les sermons islamistes dans lesquels le régime est qualifié de *Taghout*, symbole de la tyrannie et de la malfaisance dans les textes sacrés, un symbole dont tous les agitateurs dans l'histoire séculaire du monde musulman se sont servis pour appeler à mettre à bas le détenteur du pouvoir. »

À supposer que les torturés de 1988 aient été des communistes et des syndicalistes – mes lectures à ce sujet ne me permettent ni de le confirmer, ni de l'infirmer –, cela n'incite-t-il pas à d'autant plus s'interroger sur le ralliement de l'UGTA et d'Ettheadi (le nouveau nom du Parti communiste algérien) au coup d'État militaire de janvier 1992 et au clan des éradicateurs des jeunes Algériens « islamistes » ?

4. Séverine Labat (*op. cit.*, note 1, p. 98) écrit à propos de cette période : « Préférant être confronté à une opposition islamiste par définition "illégitime" aux yeux des bailleurs de fonds occidentaux, et par conséquent réprimable à merci – alors qu'il eût été infiniment

plus délicat de laisser se déployer une opposition démocrate jouis-
sant de la sympathie de l'opinion publique internationale –, le président va encourager alors la formation de partis d'opposition
islamistes. Le 10 octobre [1988], il reçoit une délégation islamiste
composée d'Ali Benhadj, Mahfoudh Nahnah et Ahmed Sahnoun
qui lui remettent la liste de leurs doléances. Sorte d'intronisation,
cette rencontre va permettre aux leaders islamistes d'acquérir une
légitimité politique au détriment de tous les autres opposants
algériens et d'occuper une position d'intermédiaires uniques entre
les pouvoirs publics et la population. Bénéficiant des mesures
d'ouverture démocratique mises en œuvre au lendemain des
émeutes, la mouvance islamiste peut ainsi étendre son réseau de
bienfaisance à loisir, et, du fait de l'ancienneté et de la souplesse de
ses structures, se doter rapidement d'une organisation partisane. »

5. Selon l'expression qu'utilise Mohammed Hocine Benkheira
dans sa présentation au n° 52-53 de la revue *Peuples méditerranéens, Algérie. Vers l'État islamique ?* juillet-décembre 1990, p. 5.
Il remarque encore (p. 5) : « On se scandalise aujourd'hui de la
haine de la démocratie affichée par le FIS, mais on feint d'oublier
que pour la Charte d'Alger de 1964, le multipartisme n'est qu'un
moyen pour les "ennemis du peuple" de "faire échec à l'intérêt
général, c'est-à-dire l'intérêt des travailleurs" (p. 194). Quand les
fondamentalistes assimilent aujourd'hui la démocratie à l'impiété
(kufr), au fond, ils n'innovent pas, mais ils spiritualisent le procès ;
ils le renforcent du poids du religieux.

« Pourquoi tant de haine pour la démocratie, est-on en droit de
se demander ? Cette haine est associée à la recherche de l'unanimisme. Elle a à voir, ce n'est pas un mystère, avec l'idéal communautaire et aussi avec la gestion du conflit dans le corps social. La
démocratie certes métabolise le conflit, mais elle le dévoile. Cela
est insupportable et inadmissible. La conception autoritaire du
pouvoir, celle du FLN de naguère, celle du FIS maintenant, repousse, refuse l'idée de conflit, s'il n'est pas avec l'Autre, l'étranger
ou l'impie. »

6. Le Front des forces socialistes (FFS) de Aïd Ahmed les a
boycottées. Ce qui a permis au Rassemblement pour la culture et la
démocratie (RCD) d'enlever nombre de mairies en Kabylie. La
« défaite » du FIS en Kabylie marque moins un rejet de l'islamisme

de la part des Kabyles que leur adhésion au comportement politique généralisé des Algériens en l'absence de traditions politiques : l'aspiration au « parti unique ».

7. Un des rares pays au monde où les femmes n'ont toujours pas le droit de vote.

8. Tunique blanche à manches longues portée par les hommes.

9. Selon Séverine Labat, *op. cit.*, note 1, p. 115, ce mot d'ordre n'aurait été adopté qu'après de sérieux affrontements au sein du FIS. Elle écrit à ce propos : « partant du principe – erroné – qu'après le traumatisme d'octobre 1988 l'armée ne peut se permettre d'ouvrir à nouveau le feu sur la foule, la stratégie est simple : affirmer la détermination du parti et tester les réactions du pouvoir militaire afin de voir jusqu'où il est possible d'aller trop loin. Madani est à cet égard encouragé par une partie des services de sécurité qui, en lui désignant la présidence comme étant à sa main, espèrent le pousser à la faute et disqualifier du même coup le Premier ministre. »

10. Voir Ghazi Hidouci, *Algérie. La libération inachevée*, Paris, La Découverte, 1995. Hidouci était ministre de l'Économie dans le gouvernement Hamrouche. S'il s'agit d'un plaidoyer *pro domo* sous un mode feutré qui ne rompt pas avec la langue de bois, il contient pourtant nombre d'informations intéressantes. Il exprime claire-ment un soupçon qui avait alors été évoqué (p. 255) : « Il devient évident que la grève a été pilotée et que les dirigeants du FIS se sont laissé prendre. » Ce qui rejoint la présentation que fournit Amine Touati, *op. cit.*, note 2, de la conjoncture dans laquelle est program-mée la grève (p. 9) : « Si la grève de juin 1991 ne peut être évitée c'est parce qu'elle vient résoudre trois contradictions principales. Celle du FIS lui-même menacé d'éclatement par l'opposition entre salafistes et djaz'aristes sur l'approche de leur objectif stratégique commun qui est l'instauration d'un État islamique. Celle du pouvoir qui désire, tout autant, que ses adversaires islamistes déclenchent leur grève et qui, au besoin, les y encourage parce que, lui aussi, est emporté par deux courants antagonistes, les réformateurs d'un côté, l'Armée conservatrice de l'autre. Enfin, la contradiction de la société algérienne dans sa globalité, déchirée entre un grand besoin de changement et la peur diffuse de manquer de repères (d'où le rôle de la religion comme valeur refuge et repère stable) pour

assumer ce changement. Cette triple contradiction est à l'origine de la première tentative islamiste d'instaurer un État. » À l'issue de la grève, poursuit Touati (p. 10), « la complexité du problème algérien » est ramené à « sa plus primitive et à sa plus dramatique expression : un affrontement entre l'armée et les islamistes, avec un peuple entier sous leurs feux croisés ».

11. Amine Touati, *op. cit.,* p. 10.

12. Voir *id.,* p. 9 : « Ces derniers [les *djaz'aristes*] estiment, en effet, que la commune constitue une victoire de grande portée puisqu'elle est "la base de l'édifice" (c'est-à-dire de l'État islamique) et que, par conséquent, c'est sur ce terrain d'abord que les islamistes se doivent de convaincre le peuple. Parce qu'il ne conteste pas son approche, Abbassi [Madani] s'allie avec ce courant, dont le niveau scolaire et le profil social général de ses tenants permettront de "moderniser" le parti. Il lui confie la tâche, complexe, de gérer les acquis des municipales. Ainsi se dessine, peu à peu et jusqu'à la veille de la grève, un FIS parallèle à celui que dirige officiellement le Mejless choura [« Conseil consultatif » autour des deux leaders] salafiste, et qui va sans grande difficulté s'emparer de la totalité des structures du parti dès la fin de la grève. »

13. Selon la formule de Séverine Labat, *op. cit.*, note 1, p. 119.

14. *Ibid.*

15. Selon Séverine Labat, *id.,* p. 123, « si les listes de juin [1991] comportaient un grand nombre de "salafistes" proches de la majorité du premier majlis ech-choura, celles de novembre [pour les élections de décembre 1991] verront l'élimination de ceux-ci au profit de membres "djaz'aristes". Ainsi, sur les quarante-quatre candidats du département d'Alger aux élections prévues pour juin, trente seront éliminés des listes de décembre. Et sur les quarante-quatre candidats finalement présentés aux élections, on dénombre treize professeurs d'université (29,5 %), dix professeurs de lycée et de CEM (22,7 %), six médecins spécialistes (13,6 %), quatre employés (9,1 %), trois ingénieurs (6,8 %), deux imams (4,5 %), un avocat (2,2 %), un président d'APC [Assemblée populaire communale] (2,2 %), un licencié en sciences islamiques (2,2 %), un architecte (2,2 %), un licencié en droit officiant comme imam (2,2 %) et un titulaire d'une maîtrise non spécifiée. »

16. Ancien maquisard de la guerre pour l'indépendance, d'origine kabyle, il s'est immédiatement opposé à la victoire de l'« armée des frontières » en 1962 (voir chapitre 1). En 1979, il dirige un groupe pour « la commanderie du bien et le pourchas du mal » qui s'oppose au « régime corrompu » et revendique l'application de la *Chari'a*. Son objectif est alors de faire pression sur l'État pour qu'il moralise la vie politique et sociale. Après l'assassinat de son frère par les services de sécurité, Bouyali passe à la clandestinité en 1982 : il prend le maquis autour de Blida et Larbaa. Son groupe commet des attaques contre des biens publics qui se soldent par quelques morts d'hommes. Il est abattu en février 1987 et plusieurs de ses lieutenants sont condamnés à mort. Labat, *op. cit.*, note 1, p. 94, écrit à son propos : « sorte de "héros" romantique, de Robin des bois de l'islamisme, Mustafa Bouyali, même si certains prédicateurs, notamment Abassi Madani, condamnent ses actions, frappe l'imaginaire d'un grand nombre de jeunes islamistes tels que Ali Benhadj. Ayant réussi à défier l'État durant près de cinq ans, puis tombé au champ d'honneur, Bouyali est devenu le "frère martyr", unanimement salué par les islamistes algériens. Toutefois, au-delà de la commémoration du "sacrifice" de Bouyali, il semble bien que ce soit à partir de son expérience que les islamistes algériens se sont divisés, tout comme leurs aînés égyptiens à la mort de Sayyid Qutb, quant aux modalités pratiques de la prise de pouvoir. Tandis que les anciens compagnons de Mustafa Bouyali demeureront à jamais convaincus de la nécessité d'user de la violence pour combattre le régime et instaurer un État islamique en ses lieu et place, les jeunes militants issus des universités privilégieront une stratégie graduelle destinée à ne pas heurter de front une armée toujours prompte à réprimer durement toute forme d'opposition. »

17. Voir Aïssa Khelladi, « Esquisse d'une géographie des groupes islamistes en Algérie », *Hérodote*, n° 77, 1995, p. 29.

18. Amine Touati, *op. cit.,* note 2, p. 13.

19. Aïssa Khalladi, *loc cit.,* note 17, p. 31.

20. Toujours selon Khelladi, ces arrestations massives auraient été facilitées par un réflexe civique de militants du FIS. Le mariage « à la fatwa » (mariage seulement religieux ; hors état civil) avait encore cours dans la population. Il était largement pratiqué, semble-

t-il, dans le maquis de Bouyali – ce mariage « à la fatwa » ne doit pas être confondu avec le « mariage de convenance » qui est d'origine chiite et non sunnite. Des militants du FIS voulurent se démarquer de ces pratiques maquisardes en se mariant à la mairie ou en faisant enregistrer civilement leur mariage. Lisons Khelladi, *id.*, p. 35 : « La victoire municipale du FIS, en juin 1990, a mis un terme à cette pratique [du mariage "à la fatwa"], poussant les plus militants des islamistes radicaux à légaliser leurs mariages auprès de leurs mairies islamiques respectives. De sorte que la police, en s'emparant des fichiers du FIS et des mairies, après leur interdiction, a pu reconstituer dans un gigantesque organigramme les multiples liens d'alliance parentaux d'une population qui était virtuellement dans l'anonymat. Cette prise explique la relative facilité avec laquelle, dès le premier trimestre 1992 (dès l'annulation des élections législatives), on arrêta et interpella plus de trente mille militants du FIS. »

21. Luis Martinez, « L'enivrement de la violence : "djihad" dans la banlieue d'Alger », dans Rémy Leveau (dir.), *L'Algérie dans la guerre*, Bruxelles, Éditions Complexe, 1995, p. 41.

22. Dans le même article (p. 39), Martinez écrit : « Pour les jeunes qui avaient affronté les forces de l'ordre lors des émeutes d'octobre 1988, le succès du FIS aux élections municipales de juin 1990 dans les quartiers et banlieues populaires du Grand Alger représentait une indéniable revanche. Le FIS parvient, durant cette période de présence aux assemblées populaires communales (municipalités) et jusqu'aux élections législatives de décembre 1991, à contrôler la haine de son électorat contre la classe politique et la rage des plus démunis contre les nantis. En même temps, ses élus locaux, à travers une multitude d'activités politiques et sociales, donnent sens à l'existence d'une population jusque-là marginalisée par les détenteurs de l'autorité politique. Les mosquées structurent l'espace des quartiers populaires et des zones d'habitat précaire peuplées d'"immigrés de l'intérieur" déracinés. Le FIS sait non seulement parler à ces populations et exprimer leurs aspirations, mais aussi intégrer les jeunes générations dans un cadre politique. L'annulation du processus électoral en janvier 1992, suivie de la dissolution du FIS en mars de la même année, laissera ses jeunes sympathisants dans l'expectative. »

23. Luis Martinez, « Les Eucalyptus, banlieue d'Alger dans la guerre civile. Les facteurs de la mobilisation islamiste », dans Gilles Kepel (dir.), *Exils et Royaumes. Les appartenances au monde arabo-musulman aujourd'hui*, Paris, Presses de la Fondation nationale des sciences politiques, 1994, p. 90.

24. *Ibid.*

25. Faute de pouvoir développer, je me permets de renvoyer à mon article « Algérie : famille et politique », *SAVOIR. Psychanalyse et analyse culturelle*, vol. 3, n° 1 et 2, février 1997, p. 165-192.

26. Djedjiga Imache et Inès Nour, *Algériennes entre islam et islamisme*, Aix-en-Provence, Édisud, 1994. Enquête auprès de 200 étudiantes – 100 voilées et 100 non-voilées – de l'Université d'Alger et de l'Université de Bab Ezzouar, interrogées en avril-mai 1991. Je me permets encore de renvoyer à mes articles « Une anomalie algérienne ? Femmes et islamisme », dans Françoise-Romaine Ouellette et Claude Bariteau (dir.), *Entre tradition et universalisme,* Québec, Institut québécois de recherche sur la culture, 1994, p. 215-236 et « Islamité et féminin pluriel », *Anthropologie et Sociétés*, vol. 18, n° 1, 1994, p. 185-202. Ils sont rédigés à partir d'entrevues réalisées auprès de jeunes femmes algériennes, dont des « hijabisées », à Montréal en 1992.

27. Journaliste marocaine qui ne peut être soupçonnée de « sympathies islamistes ». Elle a été la rédactrice en chef de *Lamalif*, revue critique à l'égard de la politique monarchiste dans son pays. On lui doit *Féminisme et politique au Maghreb. Soixante ans de lutte*, Paris, Maisonneuve et Larose, 1994, qui est à ce jour le livre le plus fouillé sur la question.

28. « Préface » au livre de Djedjiga Imache et Inès Nour, *op. cit.*, note 26, p. 6.

29. Ce que, sous d'autres cieux, l'Église catholique a toujours mis un point d'honneur à défendre. Voir notamment Jack Goody, *L'évolution de la famille et du mariage en Europe*, traduction française par M. Blinoff, Paris, A. Colin, 1985.

30. Il revient sans doute à Souhayr Belhassen d'avoir été l'une des premières à être attentive à cette novation dans « Femmes tunisiennes islamistes », dans Christiane Souriau (dir.), *Le Maghreb musulman en 1979*, Paris, Éditions du CNRS, 1981, p. 77-94.

31. Ce que la sociologue marocaine Fatima Mernissi s'est féministement plu à souligner. Voir en particulier, *Le Harem politique. Le Prophète et les femmes*, Paris, Albin Michel, 1987 ; et *Sultanes oubliées : femmes chefs d'État en Islam*, Paris, Albin Michel, 1991. Son livre *La peur modernité. Islam et démocratie*, Paris, Albin Michel, 1992, parvient à bien faire saisir la catastrophe politique que constituait la guerre du Golfe en 1991.

32. Voir *Une Algérienne debout, entretiens avec Elisabeth Schemla,* Paris, Flammarion, 1995, p. 165 à 167. Ces considérations se terminent par (p. 167) : « Avec le FIS, on se marie entre militants sur une base idéologique. Quel progrès, quel privilège par rapport aux difficultés dont j'ai parlé ! Surtout qu'il n'est nul besoin du consentement des familles, de posséder un logement : la bénédiction de l'imam instructeur suffit. Plus nécessaire non plus d'avoir une dot. Le mariage intégriste en dispense, énorme facilité dans une société de jeunes chômeurs sans le sou. Bref voilà, cette fois-ci, un statut social à peu de frais. Et un certain équilibre sexuel trouvé. Aubaine ! Les femmes l'obtiennent dans le cadre d'une relation reconnue par le "parti de Dieu », même s'il ne l'est pas par l'ensemble de la société... » Sur ce dernier point en particulier, le persiflage égare Messaoudi : elle semble ici avoir subitement oublié que « l'ensemble de la société » est régie, en matière de mariage, par le *Code de la famille* que, par ailleurs, elle prétend pourfendre.

33. Luis Martinez, *op. cit.,* note 21, p. 43.

34. *Id.,* p. 45

35. Fatiha Talahite, « Quand la réalité prend le maquis », *Intersignes*, n° 10, *Penser l'Algérie*, printemps 1995, 193-202. Elle écrit notamment dans ce texte (p. 196) : « Dans mon métier d'enseignante à l'université, j'étais forcée de reconnaître que ce mouvement attirait les étudiantes les plus brillantes, les plus dynamiques. Leur détermination forçait le respect. J'étais aussi impressionnée par leur niveau de discipline, l'efficacité de leur organisation, la fermeté de leur engagement, qui contredisaient toutes les justifications que l'on trouvait à l'incurie des associations "démocratiques", leur incapacité à se mettre en mouvement. »

36. Voir *Le Monde diplomatique*, février 1998. Ghezali précisait aussitôt ce que signifiait en l'occurrence « oser » : « Oser demander une commission d'enquête internationale sur les massacres pour

qu'aucun des différents belligérants n'ait la possibilité d'attribuer la responsabilité de ses crimes aux autres. « Oser prendre une initiative politique en faveur de la paix et des libertés. »

37. C'était déjà l'objectif de mon article « Tintin au pays des barbus », *Conjonctures*, n° 23, 1995, p. 105-127.

38. Le Canada n'est pas en reste. La teneur de mon article, « Alger-les-bombes : le dernier salon démocratique à la mode ? », *Le Devoir*, 28 février-1er mars 1998, n'a hélas pas été démentie par la délégation canadienne qui séjournait alors à Alger, y compris par l'« opposition », notamment bloquiste, qui en faisait partie. Faudrait-il admettre que cette dernière, en déplacement à l'étranger, ne se distinguerait que par sa sensibilité à l'égard de l'inflation de drapeaux à feuille d'érable ?

39. Benjamin Stora, *L'Algérie en 1995. La guerre, l'histoire, la politique*, Paris, Éditions Michalon, 1995, p. 105.

40. Il est reproduit en annexe I.

41. On pourra se reporter sur ce point à mon article « Regards croisés sur les "musulmanes" au Québec », dans K. Fall, R. Hadj-Moussa, D. Simeoni (dir.), *Les convergences culturelles dans les sociétés pluriethniques*, Sainte-Foy, Presses de l'Université du Québec, 1996, p. 169-187.

42. Voir l'analyse extrêmement nuancée et informée que propose Lucile Provost, *La seconde guerre d'Algérie. Le quiproquo franco-algérien*, Paris, Flammarion, 1996. À propos de l'initiative de Sant'Egidio, voir en particulier « Les faux-semblants du pouvoir et l'esquisse d'un dialogue par l'opposition », p. 86-91.

43. Voir note 2. Provost précise d'ailleurs bien qu'il en est « sorti » tout-puissant.

44. Provost fait ici référence au fait que « le Premier ministre Ghozali avait ainsi monté de toutes pièces à la va-vite des listes d'indépendants, dont les résultats furent très médiocres en décembre 1991. »

45. Lucile Provost, *op. cit.,* note 42, p. 89. Provost poursuit alors : « Après le changement de secrétaire général qui a eu lieu en janvier 1996, on peut aujourd'hui se demander si la cure d'opposition du FLN entre 1992 et 1995 n'était pas en fait liée à la stratégie choisie par son ex-secrétaire général, Abdelhamid Mehri, dont la démission a été plus qu'encouragée en sous-main par le

pouvoir. » Il faut pourtant ajouter que ce ravalement de façade n'a probablement pas paru suffisant puisque pour les élections législatives, municipales et régionales de 1997, a surgi le « Rassemblement national pour la démocratie » (RND), encore appelé le « parti du Président » ou le « parti de Zeroual », qui a, comme il se doit, remporté chacune de ces élections haut la main.

46. Lahouani Addi, « Dialoguer sans négocier », *Conjonctures*, n° 23, automne 1995, p. 50.

47. *Conjonctures*, n° 23, 1995, p. 56. À la suite des massacres de l'été 1997, Addi a été l'un des premiers à réclamer une commission internationale d'enquête. Voir ses articles dans *Le Monde*, 26 septembre 1997 et dans *Libération*, 3 février 1998 (avec Fatiha Talahite et Mohamed Harbi).

48. *Le Monde*, 9 janvier 1998.

49. *Le Monde*, 13 janvier 1998.

50. Voir Salima Ghezali, *Le Monde diplomatique*, février 1998.

ANNEXE I

1. Ce texte est celui qui a été publié dans *Les Cahiers de l'Orient*, 1994-1995. Le préambule était absent dans le texte publié dans *Le Monde diplomatique* de mars 1995 et qu'avait republié *Conjonctures*, n° 23, 1995.

ANNEXE II

1. Largement inspirée par celles proposées par Omar Carlier, *Entre Nation et Jihad. Histoire sociale des radicalismes algériens* (Paris, Presses de Sciences Po, 1995), Séverine Labat, *Les islamistes algériens. Entre les urnes et le maquis* (Paris, Seuil, 1995) et Luis Martinez, *La guerre civile en Algérie,* Paris, Karthala, 1998.

TABLE DES MATIÈRES

Révision du manuscrit : Jacqueline Roy
Composition : Aude Tousignant
Infographie : Isabelle Tousignant
Conception graphique : Dominic Duffaud
Illustration de la couverture : Yayo

Diffusion pour le Canada : Gallimard ltée
3700A, boulevard Saint-Laurent, Montréal (Qc), H2X 2V4
Téléphone : (514) 499-0072   Télécopieur : (514) 499-0851
Distribution : SOCADIS

Diffusion et distribution pour l'Europe : DEQ
30, rue Gay-Lussac
75005, Paris, France
Téléphone : (1) 43.54.49.02 Télécopieur : (1) 43.54.39.15

Diffusion pour les autres pays : Exportlivre
289, boulevard Désaulniers, Saint-Lambert (Qc), J4P 1M8
Téléphone : (514) 671-3888   Télécopieur : (514) 671-2121

Éditions Nota bene
1230, boul. René-Lévesque Ouest
Québec (Qc), G1S 1W2

ACHEVÉ D'IMPRIMER
CHEZ AGMV
MARQUIS
IMPRIMEUR INC.
CAP-SAINT-IGNACE (QUÉBEC)
EN OCTOBRE 1998
POUR LE COMPTE DES ÉDITIONS NOTA BENE

Dépôt légal, 4ᵉ trimestre 1998
Bibliothèque nationale du Québec